# PANDEMIE

MAHI KOHANSAL

MAHI KOHASNAL

Es handelt sich bei diesem Roman um ein fiktionales Werk. Namen, Charaktere, Orte und Begebenheiten sind entweder der Phantasie der Autorin entsprungen oder werden fiktiv verwendet. Jede Ähnlichkeit mit tatsächlichen lebenden oder verstorbenen Personen, Ereignissen oder Örtlichkeiten sind rein zufällig und von der Autorin nicht beabsichtigt.



mahi.kohansal@gmail.com

Erste Taschenbuchausgabe Juni 2021

ISBN 978-3-9823293-4-5 (Taschenbuch)

ISBN 978-3-9823293-3-8 (ebook)

www.mahikohansal.com

*Für all diejenigen, die ihr Leben in der Pandemie durch Covid-19 verloren haben. Des Weiteren für alle Mitarbeiter, die an vorderster Front und im Gesundheitswesen gegen das Virus gekämpft haben.*

# 1

Es war ein warmer, sonniger Tag in Peking. Doktor Zhang küsste seine Frau und seine fünfjährige Tochter zum Abschied auf die Wange, bevor er ging. "Ich werde versuchen, gegen acht Uhr zurück zu sein, aber warte nicht auf mich mit dem Abendessen. Ich könnte mich ein wenig verspäten."

Während er zum Krankenhaus fuhr, konnte Doktor Zhang die Sirenen der Rettungsfahrzeuge immer lauter und häufiger hören. Als er vor Ort ankam, trugen alle Ärzte und Pfleger Schutzkittel und Mundschutz. Es war nicht mehr mit der Ruhe von gestern vergleichbar. *"Was ist hier nur los?"*, fragte er sich. *Hat sich irgendwo in Peking ein Hot Spot aufgetan? Waren alle Patienten hierher gebracht worden? Oh Gott, das durfte nicht die zweite Welle sein!*

Vor einem halben Jahr war in verschiedenen Teilen des Landes ein neues Virus aufgetaucht. Die ersten Patienten schlugen in den Krankenhäusern mit Atemproblemen und hohem Fieber. Manchen versagte sogar das Herz. Die Symptome waren jedoch der normalen Grippe sehr ähnlich. So behandelten die meisten Ärzte, die nichts von dem neuen Virus wussten, das sich aber schnell in der Bevölkerung ausbreitete, die Patienten zunächst mit den üblichen Grippemedikamenten. Einige Patienten erholten sich innerhalb weniger Tage. Andere mussten ins Krankenhaus eingeliefert werden. Ein kleiner Prozentsatz zeigte unglaublich schwere Symptome Die Menschen starben, obwohl sie auf der Intensivstation behandelt wurden.

Die Erinnerungen an die ersten Tage der Pandemie prasselten plötzlich auf Doktor Zhang ein: Alle, mit weißen Kitteln und Mundschutz ausgestattet, eilten von einem Raum zum anderen. Sie sprachen kaum miteinander. Er erinnerte sich an die langen Stunden intensiver Arbeit. Daran, dass er jeden Tag Patienten sterben sah. Viele von ihnen alleingelassen, in den letzten Stunden ihres Lebens. *Nein, wir müssen es so schnell wie möglich beenden. Wir können nicht noch ein paar Monate dieses Desaster ertragen.*

Er zog sich sofort einen Kittel und eine Maske an und eilte zur Pflegestation. Jemand stand dort: Ihr Rücken war ihm zugewandt. Unter so vielen Schichten von Schutzkleidung konnte Doktor Zhang nicht erkennen, um wen es sich handelte. Sie sprach ins Telefon. “Ja, wir haben noch zehn Betten frei. Bringen Sie sie her.” Sie legte auf.

Doktor Zhang erkannte ihre Stimme. Es war Fen. Sie war seine Lieblingsschwester im Krankenhaus: erfahren, fleißig und zuverlässig.

“Fen, was ist hier los?”

Schließlich wandte sie sich um und bemerkte Doktor Zhang. “Oh, Doktor, Sie sind hier! Nun, ich bin mir nicht ganz sicher, aber wir haben heute Morgen fast hundert Patienten mit sehr verdächtigen Symptomen..."

Doktor Zhang unterbrach sie: "Atemnot, Fieber und Husten, alles sehr schnell fortschreitend. Gestern gab es so jemanden, aber er wurde negativ auf das neuartige Virus getestet."

"Ja, wir haben Ihren Bericht über den gestrigen Patienten gelesen, aber es gibt immer noch kein Ergebnis aus dem Zentrallabor. Was auch immer es ist, es ist sehr ansteckend. Jede Stunde bekommen wir mehr und mehr Patienten."

"Das Labor sollte sich beeilen. Das sieht nicht gut aus. Wie auch immer, wo kann ich helfen?"

"Ich habe gerade einen Anruf aus der Notaufnahme erhalten. Sie bringen in ein paar Minuten fünf weitere Patienten zu uns. Vielleicht können Sie sich um sie kümmern. Ich muss in Raum 209. Ich habe dort eine Patientin in kritischem Zustand und bin allein für sie verantwortlich. Es kommen noch weitere Schwestern von den anderen Stationen zu uns, um zu helfen. Warten Sie einfach hier auf sie." Sie drehte sich um und lief in Richtung Zimmer 209.

In diesem Zimmer lag eine Frau, so um die 50, auf dem Bett. Ein junges Mädchen war an ihrer Seite. Sie schien verwirrt und schockiert von dem, was sie an diesem Morgen im Krankenhaus gesehen hatte. Die Ältere hustete sehr stark und rang nach Luft. Fen begann, die Patientin auf den Schlauch vorzubereiten, den sie ihr in die Lunge legen wollte.

"Verzeihung, ich weiß, dass hier alle sehr beschäftigt sind, aber können Sie mir sagen, was mit meiner Mutter passiert ist?", fragte die Tochter schüchtern.

Fen sah das Mädchen an. Ihre Lippen und Augen zitterten. Sie schien gestresst. Fen antwortete ihr mit sanfter Stimme: "Deine Mutter hat Schwierigkeiten zu atmen. Leider haben wir viele Patienten mit ähnlichen Problemen. Wir sind uns noch nicht sicher, warum das so ist. Die Symptome ähneln der Krankheit, die sich zu Jahresbeginn ausgebreitet hat, aber wir konnten keine Spuren des Virus im Blut deiner Mutter finden. Im Moment müssen wir die Symptome einfach abmildern, bis wir herausgefunden haben, was die Ursache ist." Fen hörte auf zu erklären und sah das Mädchen wieder an. "Übrigens, wie ist es dir gelungen auf die Station zu kommen? Normalerweise akzeptieren wir keine Besucher in der Infektionsabteilung; besonders nicht in Fällen wie diesen."

Das Mädchen wirkte nun noch unbehaglicher, senkte den Kopf und antwortete leise: "Sie gaben mir den Kittel und die Maske, die ich im Krankenwagen tragen sollte, als wir hierher kamen. Ich glaube nicht, dass jemand gemerkt hat, dass ich eine Besucherin bin."

"Nun, da hattest du Glück. Die meisten Patienten können hier nicht bei ihren Lieben bleiben. Da du nun schon mal hier bist, kannst du mir helfen, deine Mutter von der Trage ins Bett zu legen? Wir haben kein anderes Personal. Alle sind beschäftigt.", sagte Fen schnell.

"Ja, sicher."

"Okay, ich übernehme ihren Oberkörper, du ihre Beine. Auf mein Kommando greifst du das Bettlaken unter ihr, und wir legen sie gemeinsam auf das andere Bett. Fertig?"

Das Mädchen nickte.

“Eins, zwei, drei.” Sie lagerten die Frau auf das andere Bett. Zum Glück war sie sehr schlank, und sie hatten kein Problem, sie zu anzuheben. Sobald sie die Frau auf das Bett gelegt hatten, begann Fen damit, die Schläuche einzuführen. Die Frau hustete so stark, dass sie kein Wort sprechen konnte. Sie folgte Fen nur mit ihren Augen.

Die Tochter nahm die Hand ihrer Mutter in ihre und flüsterte: “Es wird alles gut, Mama. Mach dir keine Sorgen.”

In weniger als einer halben Stunde schloss Fen die Frau an das Beatmungsgerät an. “Okay, ihr Zustand sollte für einige Zeit stabil bleiben. Die Maschine hilft ihr, leichter zu atmen. Behalte die Maschine im Auge! Sobald der Alarm losgeht, ruf nach mir oder einer anderen Schwester, die sich darum kümmert. Okay?”

“Ja”, antwortete das Mädchen. Fen wollte gerade den Raum verlassen, als sie die leise, zittrige Stimme des Mädchens hörte: “Wird meine Mutter wieder gesund?”

Fen blieb stehen und sah das Mädchen an. Die Kleine war kurz davor zu weinen. Fen legte ihr die Hand auf die Schulter. “Wir werden tun, was wir können, um ihr zu helfen. Mach dir keine Sorgen.” Fen hatte keine Zeit mehr, das Mädchen weiter zu beruhigen. Sie musste sich um den Rest der Patienten kümmern.

“Vergiss nicht, wenn der Alarm losgeht, jemanden zu finden, der nach ihr sieht”, sagte Fen und ging zur Tür.

In den Stunden die folgten, war sich jeder im Krankenhaus sicher, dass sie einen weiteren Ausbruch vor sich hatten.

Das einzige, was sie nicht kannten, war die genaue Quelle der Krankheit. Bald waren sämtliche Betten im Krankenhaus belegt. Neue Patienten mussten auf den Fluren bleiben. Fen hatte über zwölf Stunden am Stück gearbeitet. Sie war erschöpft von der Schicht, von den Kitteln, den Masken und den Handschuhen, die sie immer mehr ins Schwitzen brachten. *"Was ist denn da draußen nur los? Schicken sie alle neuen Patienten ausschließlich hierher? Es gab doch noch ein paar andere Krankenhäuser in dieser Gegend. Waren die auch so voll?"*, fragte sie sich. Sie war gerade mitten in einer Intubation, die zehnte an diesem Tag, als sie eine Stimme hörte, die sie rief. Es war das Mädchen von heute morgen.

"Meine Mutter. Es geht ihr nicht gut. Sie atmet schwerer und schneller. Was soll ich tun? Können Sie kommen und nach ihr sehen?"

"Ich kann jetzt nicht. Ich brauche hier noch ein paar Minuten. Ich komme gleich. Versuche, eine andere Schwester zu finden. Es muss jemanden geben, der weniger beschäftigt ist", antwortete Fen.

Das Mädchen verließ den Raum ohne ein weiteres Wort. Es dauerte eine halbe Stunde, bis Fen ihre Arbeit beendet hatte. Als sie fertig war, ging sie sofort in Zimmer 209. Zwei Krankenschwestern standen am Bett der Frau. Ihre Tochter stand schweigend in der Ecke.

Fen kam näher. "Was ist los? Kann ich helfen?"

"Nicht mehr. Sie ist vor ein paar Minuten gestorben", antwortete eine der beiden Krankenschwestern.

"Was ist passiert?"

"Niedriger Sauerstoffgehalt im Blut. Als wir sie fanden, war ihre Haut bereits blau angelaufen. Ein paar Minuten später versagten die inneren Organe", antwortete die andere Schwester.

Fen schaute auf das Mädchen, das immer noch in der Ecke des Zimmers verharrte. Sie weinte nicht, sondern starrte auf das Bett, in dem ihre Mutter lag. "Geht es dir gut?" fragte Fen.

Das Mädchen schaute zu Fen. "Gestern ging es ihr doch noch gut. Vor einer Stunde hat sie versucht, mir etwas zu sagen. Aber mit all den Schläuchen in ihrem Mund konnte sie es nicht." Die Augen des Mädchens waren weit aufgerissen, ungläubig über das, was gerade passiert war.

Fen umarmte das Mädchen. Sie war etwa sechzehn oder siebzehn. "Es tut mir so leid. Manchmal geht es sehr schnell. Ich weiß nicht, was das hier ist, aber wir haben schon ein paar andere Patienten auf die gleiche Weise verloren. Hast du jemanden, den Sie anrufen können?"

"Meinen Vater. Aber er ist auf einer Geschäftsreise außer Landes."

"Kennst du sonst jemanden in der Stadt, der dich abholen kann?"

"Nein, nur meine Oma, aber die ist selbst zu alt und krank. Der Rest der Familie lebt in einer anderen Stadt im Westen."

"Hör zu, du musst nach Hause gehen. Später wird man deine Familie anrufen, damit sie ihre Leiche abholen können." Das Mädchen begann zu weinen, als ob sie gerade erst begriffen hätte, was passiert war. Ihre Mutter war weg, und bald würden sie auch ihre Leiche wegbringen.

Fen wusste nicht, wie sie sich verhalten sollte. Wenn heute ein normaler Tag wäre, würde sie bei dem Mädchen bleiben und versuchen ein Familienmitglied oder jemanden zu finden, der dem Mädchen helfen würde. Aber heute war sie dafür viel zu beschäftigt. Sie konnte nicht noch mehr Zeit mit dem Mädchen verbringen. “Geh nach Hause. Hier kannst du nichts mehr tun. Sie ist gegangen.”

Das Mädchen weinte noch immer, als Fen sie allein im Zimmer mit der Leiche ihrer Mutter zurückließ.

Es war zwei Uhr nachts. Fen konnte sich kaum noch auf den Beinen halten. Sie hatte über achtzehn Stunden lang ohne Pause gearbeitet. Sie fühlte sich schwindlig und übermüdet. Sie wusste, wenn sie so weitermachen würde, würde sie demnächst zusammenbrechen. Sie musste nach Hause, zumindest für ein paar Stunden.

Als sie die Station verließ, sah sie Doktor Zhang auf dem Korridor. “Ich gehe für ein paar Stunden nach Hause. Ich komme zurück, sobald ich kann. Was ist mit Ihnen, Doktor? Gehen Sie auch bald nach Hause?”

“Nein, ich glaube nicht. Es gibt hier zu viele Patienten. Wir haben andere Krankenhäuser um Hilfe gebeten. Aber bis jetzt haben sie niemanden geschickt. Ich frage mich, ob ihnen klar ist, was hier vor sich geht.”

“Sie sollten inzwischen eine Ahnung haben. Ich bin auch verblüfft. Warum schicken sie alle Patienten hierher? Wenn das so weitergeht, müssen wir uns aussuchen, um welche Patienten wir uns noch kümmern können. Wir können nicht mit allen fertig werden."

"Ich werde noch einmal versuchen, mit dem Leiter des Krankenhauses zu sprechen. Hoffentlich haben wir, bis Sie zurück sind, Hilfe von dort erhalten. Versuchen Sie, sich so gut wie möglich auszuruhen. Ich möchte nicht eine unserer besten Krankenschwestern im Krankenhaus an Erschöpfung verlieren."

"Danke, Doktor. Ich komme zurück so schnell ich kann", antwortete Fen.

Fen lebte allein in einer Wohnung in der Nähe des Krankenhauses. Sobald sie nach Hause kam, duschte sie schnell und bereitete sich ein Sandwich und Kräutertee zu. Nachdem sie gegessen hatte, schleppte sie sich ins Bett. In dem Moment, als ihr Körper das weiche Bett spürte, fühlte sie, wie sich ihre Muskeln entspannten. Sie nahm einen tiefen Atemzug. Nichts war besser, als sich nach einem so langen Arbeitstag hinzulegen. Sie schlief auf der Stelle ein.

Fünf Stunden später wurde Fen durch das Klingeln ihres Telefons geweckt. Sie brauchte ein paar Minuten, um die Augen zu öffnen und sich daran zu erinnern, dass sie zu Hause war. Sie schleppte sich aus dem Bett und griff nach ihrem Telefon.

"Ja, hallo, hier spricht Fen Yang."

"Hallo, Ms. Yang. Ich rufe Sie von der Hauptgeschäftsstelle des Krankenhauses an. Wir wurden informiert, dass Sie von gestern bis heute Morgen eine Schicht auf der Station für Infektionskrankheiten hatten. Ist das richtig?" Es war eine weibliche Stimme auf der anderen Seite der Leitung zu hören.

“Ja, ich bin vor ein paar Stunden nach Hause gegangen”, bestätigte Fen.

“Sie müssen so schnell wie möglich zurück ins Krankenhaus. Es ist eine sehr dringende Angelegenheit”, sagte die Frau.

“Okay, ich hatte sowieso vor, mich bald auf den Weg zu machen.”

“In Ordnung, danke. Und noch etwas: Soweit wir wissen, nutzen Sie Ihren Privatwagen für die Fahrt zur Arbeit.?”

“Ja. Ich brauche zehn Minuten, um ins Krankenhaus zu fahren.”

“Und Sie leben allein?”

Fen zögerte mit der Antwort. *Was für seltsame Fragen,* dachte sie. Aber sie hatte weder Energie noch Zeit, dagegen zu protestieren. “Ja, das ist richtig.”

“Perfekt. Danke für Ihre Mitarbeit.” Die Frau legte auf.

Fen war verwirrt. Sie saß ein paar Minuten lang auf ihrem Stuhl in der Küche. Sie war noch immer müde, fühlte sich jedoch viel besser als vor ihrem Schlaf. Wenigstens konnte sie jetzt aufstehen, ohne dass ihr schwindelig wurde. *Was war das bloß für ein Anruf ... So seltsam ... Aus dem Büro des Klinikchefs ... Um mir persönlich zu sagen, dass ich kommen muss ... Die müssen wirklich zu wenig Schwestern haben.*

Dreißig Minuten später war Fen erneut im Krankenhaus. In den letzten paar Stunden hatte sich nichts verändert. Alle

Betten waren immer noch belegt. Die Ärzte und Schwestern liefen von einem Patienten zum nächsten.

“Fen? Was machen Sie denn hier? Ich dachte, Sie wären nach Hause gegangen.” Es war Doktor Zhang.

“Oh, hallo, Doktor. Ja, ich war für zwei oder drei Stunden zu Hause. Dann bekam ich einen Anruf aus dem Krankenhaus. Sie baten mich, so schnell wie möglich wegen eines Notfalls hierher zu kommen. Wissen Sie, was da los ist?”

“Nein, nicht ganz. Wir haben noch keine Hilfe von anderen Krankenhäusern erhalten, aber die Zahl der Patienten stabilisiert sich. Wir hatten nur ein paar neue Fälle in den letzten Stunden. Entweder gibt es keine weiteren, oder sie wurden in ein anderes Krankenhaus gebracht. Mit wem haben Sie gesprochen?” fragte Doktor Zhang.

“Es war jemand aus dem Büro des Direktors. Keine Sorge, Doktor, ich werde herausfinden, was los ist und Ihnen Bescheid geben.” Sie verließ den Raum.

Zehn Minuten später baten die Sprecher des Krankenhauses alle, sich im Hauptkonferenzsaal zu versammeln. Doktor Zhang war einer der letzten, der kam. Kurz bevor er den Saal betrat, baten ihn zwei Sicherheitsbeamte, sein Telefon und andere elektronische Geräte in eine Box zu legen. Dann passierte er eine provisorische Sicherheitsschleuse am Eingang der Halle. Schließlich trat er ein. Es war sehr voll, in der Haupthalle befanden sich einige hundert Menschen. Doktor Zhang kannte einige von ihnen: Ärzte, Krankenschwestern und weitere Mitarbeiter des Krankenhauses. Aber er bemerkte auch einige unbekannte

Gesichter. Alle waren verwirrt und fragten sich gegenseitig, ob jemand wusste, was hier los war.

“Achtung, Achtung.” Es war die Stimme des Krankenhausdirektors, die aus dem Lautsprecher kam. “Liebe Kollegen, Patienten und Patientenbesucher. Hier spricht der Direktor des Krankenhauses. Wir haben Sie alle in diesen Saal gebeten, um Sie über eine komplizierte Situation zu informieren, in der wir uns alle befinden. Wie Sie vielleicht schon mitbekommen haben, haben wir in den letzten zwei Tagen eine neue Infektionswelle beobachtet. Wir wissen jetzt, dass diese Welle durch eine mutierte Version des Virus verursacht worden ist, die vor einem halben Jahr verbreitet wurde und zu schwereren Fällen führt . Da wir noch sehr wenig über das mutierte Virus wissen, haben wir beschlossen, alle Personen, die mit dem Virus in Berührung gekommen sind, für einige Tage an einem Ort in der Nähe unter Quarantäne zu stellen, um weitere Informationen über das Virus zu sammeln. Um Sie so reibungslos wie möglich an diesen Ort zu bringen, haben wir General Xiong und seine Einheit gebeten, uns bei der Überführung zu helfen. Sie werden nun zu den Bussen geleitet, die zur Abfahrt bereitstehen. Aber bevor Sie gehen, bitten wir Sie, uns mitzuteilen, mit wem Sie in den letzten zwei Tagen Kontakt hatten. An der Ausgangstür liegt eine Liste aus, auf der Sie die Namen und Adressen Ihrer Kontakte eintragen können. Und zu guter Letzt: Machen Sie sich keine Sorgen um Ihre Familienmitglieder und Angehörigen. Wir werden sie über die Situation informieren. Sie werden sie von Ihrem neuen Standort aus kontaktieren können. Vielen Dank für Ihre Kooperation.”

Die Lautsprecher verstummten. Für ein paar Sekunden herrschte völlige Stille im Raum, bis er plötzlich von den

Stimmen der Menschen, die protestierten und sich beschwerten, überschwemmt wurde.

“Wo ist dieser neue Ort?”

“Wie lange werden wir in Quarantäne sein?”

“Was ist mit unseren Familien? Wir sollten ihnen sagen dürfen, wo Sie uns hinbringen.”

# 2

Es war sechs Uhr morgens. Über fünfhundert Soldaten in weißen Kitteln warteten vor den Bussen und Rettungsfahrzeugen vor dem Krankenhaus, um alle Betroffenen zum Quarantäneort zu bringen. General Xiong saß mit Kapitän Tu in einem Auto vor dem Krankenhaus.

“Sir, haben Sie dem Leiter des Krankenhauses befohlen, die Art der Mission nicht zu enthüllen?” fragte Kapitän Tu.

“Ja. Wir müssen sie so ruhig wie möglich halten, bis wir sie in das Quarantänelager gebracht haben. Wenn sie glauben, dass es ein Krankenhaus ist und kein Lager, werden sie denken, dass es nur für eine kurze Zeit ist. Außerdem dürfen sie nicht erfahren, wie gefährlich dieses Virus ist, sonst werden sie sich wehren, und ich möchte den Einsatz von Gewalt so weit wie möglich vermeiden. Es würde nur die Aufmerksamkeit der Nachbarn oder der auf der Straße fahrenden Autos erregen. Wir können es uns nicht leisten, irgendetwas von dieser Mission an die Öffentlichkeit preiszugeben”, drängte General Xiong.

“Ja, Sir. Aber natürlich. Je weniger alle wissen, desto besser können wir sie kontrollieren”, antwortete der Kapitän.

General Xiong und Kapitän Tu saßen schweigend da, als eine Stimme durch das Funkgerät des Wagens kam. “Sir, wir sind bereit, die erste Gruppe aus dem Krankenhaus zu verlegen. Wie lautet Ihr Befehl?”, fragte einer der Kommandanten der Einheit.

“Untereinheit 1, sind Sie bereit?” fragte Kapitän Tu.

“Ja, Sir.”

“Untereinheit 2, sind Sie bereit?”

“Ja, Sir.”

Kapitän Tu sah den General an. Dieser nickte. Kapitän Tu gab den Befehl über das Funkgerät. “Alle Einheiten, starten Sie die Mission! Ich wiederhole, starten Sie die Mission!”

Doktor Zhang fand Fen in der Menschenmenge, die in der Halle warteten. Fen unterhielt sich mit einem jugendlichen Mädchen, das neben ihr stand. Das Mädchen war sehr dünn, hatte langes, glattes, dunkles Haar und eine blasse Haut. Doktor Zhang ging auf die beiden zu. Fen lächelte, sobald sie den Doktor sah.

“Oh, Doktor Zhang, Sie sind auch hier. Tut mir leid, ich wollte zu Ihnen kommen, aber sobald ich in der Halle war, wollten sie mich nicht mehr gehen lassen.” Sie schaute sich um. Das Geschrei der Leute, die gegen die Entscheidung des Krankenhausdirektors protestierten, war laut. Sie hob ihre Stimme leicht an, um sicherzustellen, dass Doktor Zhang sie hören konnte. “Jetzt wissen wir also, was los ist. Ich verstehe immer noch nicht, warum sie uns wegen der

Quarantäne in ein anderes Krankenhaus bringen. Das ist seltsam, finden Sie nicht auch?"

"Ja, das ist es. Im Moment ist nichts normal. Wir haben oben ein paar sehr kranke Patienten. Ich weiß nicht, warum sie sie alle in ein anderes Krankenhaus verlegen wollen - das könnte für einige von ihnen tödlich sein. Wir haben alles, was wir brauchen, genau hier. Das ist eine so extreme Maßnahme. Auch dass sie das Militär hinzugezogen haben ist seltsam! Von so etwas habe ich in der Vergangenheit noch nicht gehört." Doktor Zhang hielt inne und schwieg, als würde er seine Gedanken auswerten und versuchen, sich einen Reim auf die Ereignisse zu machen. "Allerdings ist das Virus viel tödlicher, als ich dachte. Seit heute Morgen sind allein auf unserer Station über zehn Menschen gestorben. Der Zustand ihrer Organe verschlechterte sich sehr schnell, nachdem sie sich mit dem Virus infiziert haben. Vielleicht ist das der Grund." Dann seufzte er und beendete seinen Gedanken. "Auf jeden Fall hätten sie uns erlauben sollen, unsere Familien zu kontaktieren. Meine Familie wartet heute Abend auf mich. Ich kann ihnen nicht einmal sagen, dass ich ein paar Tage lang nicht nach Hause kommen werde. Was ist mit Ihnen, Fen, Konnten Sie mit Ihrer Familie sprechen?", fragte der Arzt.

"Ich lebe allein. Zu Hause wartet niemand auf mich. Jedenfalls werden sie jeden, der in den letzten zwei Tagen mit uns in Kontakt war, in das neue Krankenhaus bringen." Fen wandte sich ab und erinnerte sich an das junge Mädchen, das nun neben ihr stand. "Ich habe vergessen, dich Doktor Zhang vorzustellen", sprach Fen sie an. "Das ist Lin. Ihre Mutter war heute Morgen Patientin bei uns. Leider ist sie vor ein paar Stunden verstorben. Ich war ihre Krankenschwester."

Doktor Zhang betrachtete das Mädchen. Sie schien geschockt und verängstigt. *Armes Mädchen! Erst hat sie heute morgen ihre Mutter verloren, jetzt hat sie in diesem Chaos nicht einmal Zeit, sie zu betrauern,* dachte er mitleidig. Doktor Zhang lächelte das Mädchen zuversichtlich an und schüttelte ihre Hand.

“Ich bin Doktor Zhang. Ihr Verlust tut mir leid. Es muss sehr schwer für Sie sein. Und jetzt müssen Sie auch noch hier bleiben. Ich hoffe, dass dieser Schlamassel so schnell wie möglich aufgeklärt wird.”

“Nett, Sie kennenzulernen, Doktor”, murmelte Lin. Sie schien sich unbehaglich zu fühlen und blickte schüchtern in die fremde Menschenmenge.

“Okay, lasst uns zur Tür gehen. Sonst bleiben wir in der Menge stecken”, sagte Fen.

Sie bewegten sich näher an die Tür der Halle. Durch die Fenster konnten sie Busse und Rettungsfahrzeuge sehen, die auf sie warteten. Bevor sie hinaus traten, schrieb Doktor Zhang die Namen seiner Frau und seiner Tochter auf die Liste als die einzigen Personen, die mit ihm außerhalb des Krankenhauses Kontakt hatten.

Vor der Halle, am Eingang des Krankenhauses, warteten die Männer in weißen Kitteln und Masken auf sie. Sie verteilten die Heraustretenden auf sämtliche Busse und Transporter. Fen konnte sehen, wie die Patienten gleichzeitig in einzelne Krankenwagen verladen wurden. Doktor Zhang, Fen, Lin und ein paar weitere Personen wurden in einen Lieferwagen geleitet. Die Fenster des Fahrzeugs waren komplett mit schwarzer Folie abgeschirmt. Der hintere Bereich war vom Fahrersitz abgetrennt. Von innen konnten sie nicht nach außen sehen. Es schien einer Minizelle gleich. Sie saßen schweigend in dem Van. Von draußen konnten sie hören, wie sich Leute um das Fahrzeug bewegten. Plötzlich hörten sie eine feste Stimme, die einen Befehl gab. "Hey, hey, zurück in die Reihe, zurück in die Reihe!" Das hörte sich nach einem der Soldaten an.

"Hören Sie, Mann, ich war nur für ein paar Minuten hier, um einen Freund von mir abzuholen. Ich habe es nicht einmal geschafft, ihn in diesem Chaos zu finden. Es gibt keinen Grund, mich in Quarantäne zu bringen. Ich bin völlig gesund." Es war ein junger Mann, der sich gerade ziemlich aufregte.

"Es ist mir egal, warum oder wie lange Sie hier waren. Wir haben den Befehl, jeden, der im Krankenhaus war in Quarantäne zu bringen. Jetzt stellen Sie sich wieder in die Reihe", wies ihn der Soldat zurecht.

"Sie verstehen nicht! Ich kann nicht ein paar Tage in Quarantäne verschwinden. Ich bin das neueste Mitglied der Tischtennis-Nationalmannschaft. Ich muss täglich zu meinen Trainingseinheiten. Die darf ich nicht verpassen."

"Es ist mir egal, wer Sie sind! Treten Sie zurück!"

Für einen Moment war kein Ton zu hören, dann hörte man die Stimme des Soldaten, die schrie. "Halt! Stopp! Blockiert ihn, blockiert ihn!" Der Mann sprintete von der Linie zurück. Ein paar Minuten später öffnete sich die Tür des Transporters. Einer der Wachmänner schob den jungen Mann in den Van. Das Verhalten der Wachleute schockierte alle im Transporter. Es war, als hätten sie einen Verbrecher festgenommen.

"Hören Sie, das ist kein Scherz. Wir haben den Befehl, notfalls zu schießen. Wenn Ihnen also Ihr Leben lieb ist, bleiben Sie ruhig", gab der Soldat in dominantem Ton von sich, bevor er die Tür des Transporters schloss und verschwand.

Der junge Mann blutete aus Nase und Lippe. Lin durchsuchte ihre Handtasche und fand eine Serviette. Sie hielt sie vor das Gesicht des Mannes. "Hier, Sie bluten."

Der Tischtennis-Spieler blickte kurz auf die Serviette. Dann nahm er sie ohne ein "Danke" an. Fen und Lin tauschten einen Blick aus, aber keiner von ihnen sagte ein Wort. Niemand war in der Stimmung, auf gutes Benehmen zu achten. Als der junge Mann damit fertig war, sich das Blut aus dem Gesicht zu waschen, schaute er sich im Wagen um und sah Lin direkt in die Augen. Er fühlte sich schuldig. Er hielt die Serviette hoch und sagte: "Danke."

"Kein Problem", antwortete diese kurz.

"Tut mir leid, das war wirklich schmerzhaft", sagte der junge Mann. *Und demütigend,* dachte er. Er hatte das Bedürfnis, sein Verhalten zu erklären. Die Menschen im Wagen starten ihn noch immer schweigend an: "Ich stehe unter großem Druck. Nach so vielen Jahren des Trainings und der Vorbereitung wurde ich kürzlich in die Tischtennis-Nationalmannschaft eingeladen. Ich habe noch immer keinen festen Platz. Wenn ich die Trainingseinheiten jetzt verpasse, werden sie mich einfach durch den nächstbesten Spieler ersetzen." Er hielt einen Moment inne, dann fuhr er fort: "Mein Name ist übrigens Chen Yin. Sie werden bei der nächsten Weltmeisterschaft viel von mir in den Nachrichten hören." Er lächelte vage über seinen Scherz. Lin war die einzige, die sein Lächeln erwiderte. Alle anderen ignorierten ihn stillschweigend.

Nach weiteren dreißig Minuten, die sie schweigend im geschlossenen Transporter gesessen hatten, stieg ein mit Schutzkleidung bekleideter Fahrer ein und startete ohne Erklärung den Motor.

# 3

Achtundvierzig Stunden, bevor er in die Quarantänestation gebracht wurde, hatte Doktor Zhang seine Schicht gegen sieben Uhr am Morgen mit dem Besuch einiger Patienten, die auf seiner Station lagen, begonnen. Alle waren in stabilem Zustand. Keiner von ihnen wies Komplikationen auf. Doktor Zhang verschrieb ihnen die notwendigen Medikamente und ging zurück in sein Büro, um Patientenberichte zu schreiben.

Während er seine Berichte diktierte, meldete sich sein Pager. Ein Notfall! Er warf sofort seinen Kittel, die Maske und den Gesichtsschutz über und ging auf Station. Drei Krankenschwestern versammelten sich um einen Mann mittleren Alters, der aufgrund seines hohen Fiebers glühte. Er klagte über Kurzatmigkeit.

“Was ist das Problem?” fragte Doktor Zhang. Es war nicht ersichtlich, ob er den Mann oder die Krankenschwestern ansprach.

Der Mann antwortete zuerst. “Es begann gestern Mittag ... Ich kam erschöpft nach Hause und fühlte mich krank. Ich dachte, es könnte der Schlafmangel der letzten Nacht sein. Also ging ich gleich ins Bett und wachte etwa gegen Mitternacht mit Fieber und Schmerzen in der Brust auf.” Der Mann gab bei jedem Einatmen ein pfeifendes Geräusch von sich. Nach jedem Satz musste er innehalten und nach Luft schnappen, bevor er weitersprechen konnte. “Als es nicht besser wurde, rief ich einen Krankenwagen. Ich fürchtete, ich könnte jeden Moment ohnmächtig werden.”

Doktor Zhang benutzte sein Stethoskop, um die Atmung des Mannes zu überprüfen. Sie war nicht normal; er konnte das hohe Pfeifen beim Keuchen hören, während der Mann einen Atemzug nahm. Er verschrieb Medikamente gegen das Fieber und bat die Krankenschwestern, ihm eine Sauerstoffmaske zu geben, um ihm die Atmung zu erleichtern.

*Könnte es sein, dass er sich mit dem neuartigen Virus infiziert hat? Hat er die gleiche Krankheit, die sich vor einem halben Jahr im ganzen Land ausgebreitet hatte?* fragte sich Doktor Zhang. Der Mann zeigte sehr ähnliche Symptome, nur dass sich sein Zustand viel schneller verschlechterte als bislang bekannt. Er hatte bereits die Symptome entwickelt, die Patienten normalerweise erst nach zwei Wochen zeigten. Er befand sich definitiv in kritischem Zustand. Die Bilder, die sie von seiner Lunge gemacht hatten, wiesen eine große Menge an Flüssigkeit auf. Das erklärte, warum er solche Schwierigkeiten beim Atmen hatte.

Im Anschluss an seine Visite ging alles ganz schnell. Innerhalb von zwei Stunden verfärbte sich seine Haut blau. Es war klar, dass er unter Sauerstoffmangel litt. Doktor Zhang beschloss, den Luftschlauch direkt in seine Lunge zu legen.

Aber auch das verbesserte seinen Zustand nicht. Seine Lunge war so geschädigt, dass er auch mit dem Schlauch nicht genügend Sauerstoff ins Blut bekam. Der Mann lag fast fünf Stunden im Krankenhaus. Er starb, während er an das lebenserhaltende System angeschlossen war. Doktor Zhang war an seinem Bett, als er seinen letzten Atemzug tat. Die Augen des Mannes waren weit aufgerissen und sein Blick war an die Decke gerichtet, als wäre er selbst erstaunt, wie schnell alles ging - von einem vagen Gefühl der Erschöpfung bis zum leblosen Liegen in einem Krankenhausbett innerhalb eines Tages. Das Testergebnis auf das neue Virus war negativ. Auch wenn sich ähnliche Symptome zeigten, bestätigte ein zweiter Test, dass er das bekannte Virus nicht in seinem Blut hatte. Doktor Zhang war verwirrt. Der Mann zeigte alle Symptome. Nur die Zeitspanne war viel kürzer. Er schickte die Blutprobe des Mannes an das Zentrallabor, um sie gründlicher, auch auf andere Arten von Viren untersuchen zu lassen. Dann beendete er seinen Fallbericht über den gerade verstorbenen Mann. Am Ende des Berichts schrieb er: “Weitere Tests wurden ans Zentrallabor geschickt, um den Ursprung der Krankheit mit Sicherheit definieren zu können.”

Es war Mitternacht, als Doktor Zhang nach Hause kam. Das Haus war dunkel und still. Wie immer, wenn er lange Schichten im Krankenhaus zugebracht hatte, bekam er seine Tochter nicht mehr zu Gesicht, bevor sie ins Bett ging. Zum Glück passierte das nur zwei Mal in der Woche. Er zog seine Schuhe aus und trat ein. Ein Lichtschimmer kam aus dem Schlafzimmer; seine Frau las wahrscheinlich und blieb wach, bis er zurückkam. Er ging zu ihr. Die Nachttischlampe leuchtete. Seine Frau lag auf dem Bett und hatte ein Buch in der Hand. Doktor Zhang kam näher. Sie bewegte sich nicht, ihre Augen waren geschlossen. Offenbar war sie beim Lesen eingeschlafen. Während Doktor Zhang versuchte, ihr das Buch aus der Hand zu nehmen, öffnete sie ihre Augen.

“Schlaf, schlaf! Ich komme in ein paar Minuten ins Bett”, flüsterte er ihr schnell ins Ohr.

“Wie geht es dir, mein Schatz? Hast du schon gegessen? Wenn nicht, wir haben noch etwas im Kühlschrank.”

“Danke, ich habe im Krankenhaus gegessen. Schlaf weiter. Ich bin gleich da.”

Ein paar Minuten später kroch er sanft unter die Decke, legte sich neben seine Frau und roch den angenehmen Duft ihrer Haare. Sie öffnete ihre Augen und umarmte ihn.

“Wie war dein Tag, Liebling?”, fragte sie leise.

“Nun, seltsam. Wir hatten heute einen Patienten mit sämtlichen Symptomen des neuen Virus, aber sein Bluttest war negativ. Er entwickelte die Symptome sehr schnell, und bevor wir ihm helfen konnten, starb er. Trotzdem wissen wir nicht, was die genaue Todesursache war. Wir müssen dem morgen nachgehen. Ansonsten die übliche Routine. Wie geht es dir?”

“Nun, mir geht es gut. Deine Tochter war heute allerdings völlig außer Kontrolle. Sie hat ihr neues Rad im Park ausprobiert. Sie war dabei so aufgeregt, dass ich sie kaum überreden konnte, wieder nach Hause zu gehen. Und wenn sie mal gerade nicht gefahren ist, hat sie ohne Punkt und

Komma darüber geredet. Ich weiß gar nicht, wie viele Fragen sie mir heute gestellt hat."

Doktor Zhang lächelte. "Ihr geht es also hervorragend, ihrer Mutter eher weniger? "Er küsste seine Frau auf die Stirn.

"Ja, ich muss zugeben, es ist schwierig, ihr stundenlang auf dem Fahrrad hinterherzulaufen. Aber alles gut, denn nun ist ja ihr Vater zurück, und der kann ihr morgen beim Frühstück erzählen, dass sie mich mit ihrem neuen Fahrrad nicht so anstrengen soll."

"Ich werde mit ihr reden ... Noch besser: Morgen muss ich erst gegen Mittag im Krankenhaus sein. Dann kann ich vorher mit ihr in den Park gehen, und du kannst dich ein wenig ausruhen." Fest nahm er seine Frau in den Arm.

"Ein guter Plan", sagte sie und schmiegte sich in die Arme ihres Mannes. "Gute Nacht, Liebling."

"Gute Nacht."

Doktor Zhang betrachtete seine Frau. Er konnte sich wirklich glücklich schätzen, seine und die gemeinsame Tochter zu haben. Erst seit Kurzem fühlte er sich rundum zufrieden. Ein Gefühl, das er noch kaum in seinem Leben empfunden hatte. Seine ersten dreißig Lebensjahres waren geprägt vom gesamten Stress seiner Ausbildung. Später war er damit beschäftigt, sich eine stabile Karriere aufzubauen. Um seine jetzige Position zu erreichen, waren er und seine Frau in drei verschiedene Städte gezogen. Nur so hatte er all das Fachwissen und die Erfahrungen sammeln können, die er nun brauchte. Aber schließlich führten ihn all seine Bemühungen auf die höchste Stufe der Karriereleiter, die er sich vorstellen konnte: Endlich war er ein Spezialist für Infektionskrankheiten in einem großen Krankenhaus mitten in der

Hauptstadt. Als Junge hätte er nie gedacht, dass er einmal so erfolgreich sein würde.

Auch sein Privatleben hatte sich in den letzten Jahren ständig verbessert. Er würde diese ersten steinigen Jahre ihrer Ehe nie vergessen, als es ihnen nicht gelungen war, schwanger zu werden. Jahrelang versuchten er und seine Frau verschiedene Behandlungen, ohne Erfolg. Er erinnerte sich an Nächte, in denen seine Frau im Bett weinte und ihre Puppe aus der Kindheit verzweifelt umarmte, bis sie endlich einschlief. Sein eigener Zustand war ebenfalls nicht viel besser gewesen; er hatte sich noch nie so nutzlos und frustriert gefühlt. Es schien, als könne er nichts tun, um seine Frau in ihrem Wunsch zu unterstützen. Es gab Zeiten, da war er sich nicht mehr sicher, ob ihre Ehe das aushalten würde. Doch endlich, nach fünf Jahren, nach einer so langen Zeit des Wartens, hießen sie ihre Tochter auf der Welt willkommen.

Mittlerweile hatte Doktor Zhang das Meiste erreicht, auf das er in seinem Leben so hart hingearbeitet hatte. Manchmal, in Momenten wie diesen, wenn die Welt gerade still stand, erinnerte er sich gerne daran, wie das Leben ihm endlich seine freundliches Seite gezeigt hatte. Er schmiegte sich fester an seine Frau und schloss die Augen.

Achtundvierzig Stunden bevor es für Fen in die Quarantänestation ging, frühstückte sie in ihrer Wohnung in der Nähe ihres Arbeitsplatzes. Es war ihr freier Tag. Im Krankenhaus konnten sie sich für längere Schichten entscheiden. Dafür bekamen sie einen Tag frei. Die meisten ihrer Kollegen, die Kinder und Familie hatten, mochten diese langen Schichten nicht. Sie mussten jeden Tag zu einer bestimmten Zeit zu Hause sein, um die Kinder zu versorgen. Aber für Fen war es die beste Option. Sie war jung genug, um die langen Schichten durchzuhalten, und an ihren freien Tagen konnte sie ihre Hobbys genießen. An diesem Tag wollte Fen direkt nach dem Frühstück los und einen neuen Satz Farben, Papier und einen Rahmen für ihr neues Malprojekt kaufen. Nach dem Mittagessen ging sie ins Schwimmbad, und am Abend traf sie sich mit ihren Freunden zum Abendessen. Fen liebte ihren Lebensstil. Vor zehn Jahren war sie aus ihrer kleinen Heimatstadt nach Peking gezogen, um die Unabhängigkeit und Freiheit zu suchen, die sie jetzt genoss. In ihrer Heimatstadt bestand die einzige Möglichkeit, sich in die Gesellschaft zu integrieren darin, nach dem College zu heiraten und mit dreißig Jahren ein oder zwei Kinder zu haben. In einer großen Stadt wie Peking ging sie in der Menge unter. Hier kannte sie niemanden aus ihrer Vergangenheit. Niemand würde darauf achten, wie sie lebte. Es gab keine Einmischung zum Thema Heirat, Kinder oder Alter. Keiner urteilte über ihre Ambitionen und Pläne für die Zukunft. Zumindest nicht die Leute, die sie hier kennengelernt hatte. Diese waren entweder Typ einsamer Wolf, so wie Fen oder so sehr mit ihrem eigenen Leben beschäftigt, dass sie keine Zeit hatten, sich in ihres einzumischen.

Fen begann in Gedanken ihren Tag zu planen, als ihr Telefon klingelte. Ihre Mutter war am Apparat. Sie rief Fen mindestens jeden zweiten Tag an. Tat sie das nicht, erwartete sie, dass Fen sie anrief. Jedes Mal, wenn Fen es vergaß oder zu beschäftigt war, ihre Mutter anzurufen, musste sie beim nächsten Anruf eine halbe Stunde damit verbringen, sich zu erklären und zu entschuldigen. Natürlich ließ Fen die Anrufe ihrer Mutter selten unbeantwortet. Es war viel einfacher, fünf oder zehn Minuten mit ihr zu reden, als sich später zu rechtfertigen. Sie nahm den Anruf an.

“Hi Mom, wie geht es dir?”

“Hallo, Fen. Mir geht's gut. Ich habe gestern auf deinen Anruf gewartet.”

Fen rollte mit den Augen. Sie beschloss, die unfreundliche Bemerkung ihrer Mutter zu überhören.

“Ich war erst im Krankenhaus und später zu Hause ziemlich beschäftigt.”

“Beschäftigt? Du bist Single. Kein Mann, kein Kind, keine Verpflichtung. Wie kannst du so beschäftigt sein, dass du vergisst, deine Mutter anzurufen?”

“Mom, bitte, fang nicht wieder damit an. Es tut mir leid, ich habe es einfach vergessen. Wie geht's Papa?”

“Du kennst deinen Vater besser als ich. Er beschwert sich über alles, jeden Tag.”

Fen kannte ihren Vater nur allzu gut. Ja, manchmal konnte es schwierig mit ihm sein. Er war zwanzig Jahre älter als ihre Mutter, und je älter er wurde, desto ungeduldiger wurde er in allem. Ihre Mutter hatte keine andere Wahl, als sich um ihn zu kümmern. Ihre Generation war eine ganz andere als die von Fen. Ihre Mutter hatte sich in ihrem Leben nie wirklich entscheiden können. Sie hatte sehr früh geheiratet, und so lange sich Fen erinnern konnte, hatte sie sich um Fen und ihre Geschwister gekümmert. Und jetzt, wo alle Kinder aus dem Haus waren, war sie mit ihrem alten Vater alleine zurückgeblieben. Fen konnte es ihr wirklich nicht verdenken, wenn sie den einen oder anderen spitzen Kommentar für sie übrig hatte. In gewisser Weise war Fen fest davon überzeugt, dass ihre Mutter sie um ihr Leben beneidete. Vielleicht fragte sie sich itief im Innern, wie das Leben sein würde, ohne ständig an andere Menschen denken und sich um sie kümmern zu müssen.

“Was hat er dieses Mal angestellt? Worüber hat er sich beschwert?”

“Über dich. Er beschwert sich jeden Tag darüber, dass du allein so weit weg und in einer großen Stadt wohnst. Er versteht nicht, warum du dich nicht häuslich niederlässt, heiratest und Kinder bekommst. Er denkt, dass du das bereuen wirst, wenn du älter bist. Ich weiß auch nicht. Warum sprichst du nicht mit ihm und erklärst es ihm selbst? Ich bin es Leid, deine Entscheidungen ständig vor ihm zu rechtfertigen.”

“Ach, Mama, ich bin vollkommen glücklich, so wie ich lebe. Ich weiß nicht, warum er nicht versteht, dass ich glücklicher nicht sein könnte. Ich habe meinen Job, meine Hobbys und meine Freunde. Ich brauche im Moment nichts anderes. Heute Abend gehe ich mit Freunden zum Essen in ein schickes Restaurant. Glaub mir, ich lebe ein viel interessanteres Leben, als du es dir vorstellen kannst. Mach dir keine Sorgen um mich.”

“Und wer sind diese Freunde? Gibt es einen ledigen jungen Mann unter ihnen?”

“Ja, aber wir sind nur Freunde, mehr nicht. Bitte fang nicht wieder damit an. Ich muss nicht jeden, auf den ich zum ersten Mal treffe, davon überzeugen, mich zu heiraten.”

“Okay, wie du willst. Ich werde nicht mehr mit dir darüber sprechen. Obwohl ich ausnahmsweise mit deinem Vater einer Meinung bin. Du wirst es später bereuen. Freunde bleiben nur ein paar Jahre lang Freunde. Bald werden alle ihre eigenen Familien haben und so beschäftigt sein, dass sie dich vergessen. Dann wirst Du Dich einsam fühlen. Wie auch immer, ruf deinen Vater an, wann immer du Zeit hast, dich mit ihm zu unterhalten."

"Okay, Mom, mach ich. Ich muss jetzt los. Ich rufe ihn später an. Pass auf dich auf."

"Du auch und komm nicht zu spät nach Hause. Geh nicht zu lange aus. Es ist in der Nacht nicht sicher auf den Straßen."

"Okay, mach ich. Tschüss."

"Tschüss."

Fen legte den Hörer auf. Egal wie alt sie war, ihre Mutter bedachte sie immer mit irgendwelchen Warnungen. Fen liebte sie, aber in letzter Zeit wurde das Gespräch mit ihrer Mutter und ihrem Vater zunehmend anstrengender. Sie wünschte sich, sie würden sie in Ruhe lassen und nur anrufen, wenn sie wirklich wissen wollten, wie es ihr ging, anstatt sie mit ihren Sorgen zu belasten. Fen beendete ihr Frühstück und machte sich fertig. Sie hatte an diesem Tag noch eine Menge vor.

~

Vierundzwanzig Stunden bevor er von dem Soldaten in den Van geschoben wurde, um in Quarantäne gebracht zu werden, war Chen mitten in seiner Trainingseinheit. Seit er vor drei Monaten für die Nationalmannschaft nominiert worden war, hatte er fast jeden Tag trainiert. Die Weltmeisterschaft fand in ein paar Monaten statt, und alle befanden sich auf dem Höhepunkt des Trainings. Noch vor ein paar Monaten war es für Chen nur ein Traum gewesen, Mitglied der Nationalmannschaft zu werden, aber jetzt hatte sich sein Ziel geändert. Jetzt hatte er nur noch die Goldmedaille, die er bei der Weltmeisterschaft gewinnen wollte, vor Augen. Das war seine Chance, sich selbst und allen anderen zu beweisen, dass er es verdient hatte, der jüngste Spieler der Nationalmannschaft zu sein. Chen konnte sich kaum an eine Zeit in seinem Leben erinnern, in der er nichts mit Tischtennis zu tun hatte. Er war gerade mal sechs Jahre alt, als er zum ersten Mal einen Tischtennisschläger in der Hand hielt. Es war in seinem ersten Grundschuljahr und sie hatten Sport. Während alle anderen von den Mannschaftssportarten fasziniert waren, fand er die meiste Freude am Tischtennisspielen. Die ständige Bewegung des Balls, das Geräusch, wenn er auf den Tisch auftraf, und der Stil seines Lehrers, wenn dieser spielte - alles an diesem Sport zog Chens Aufmerksamkeit an. Er begann nicht nur im Sportunterricht zu üben, sondern auch außerhalb der Schule. Er blieb nach Schulschluss, um Tisch und Schläger zu benutzen. Als seine Eltern von seiner Begeisterung für den Tischtennissport erfuhren, meldeten sie ihn im örtlichen Verein an, damit er jeden Tag nach der Schule zwei Stunden lang ernsthaft trainieren konnte. Er war fast zehn, als er für das Provinzteam ausgewählt wurde. Von diesem Moment an bis heute, im Alter von neunzehn Jahren, gab es keine Phase in seinem Leben, in der er nicht für irgendeinen Wettkampf trainiert hätte.

An diesem Tag während der Trainingseinheit versuchte Chen, sich an die Methode des neuen Nationaltrainers zu gewöhnen. Jeder Tag begann mit einer Übung mit mehreren Bällen. Während des Trainings dreschte ein anderes Teammitglied ein Ball nach dem anderen in seine Richtung, und er musste darauf reagieren. Seine Trainingspartner begannen zunächst leicht und langsam, aber im Laufe der Einheit wurden die Bälle schneller und mit Spinn und etlichen Tricks geschlagen. Das Üben mit mehreren Bällen konnte ein bis zwei Stunden ununterbrochen dauern. In der Mitte der Trainingseinheit reagierte Chens Geist automatisch auf die Bälle, die ihm zugespielt wurden. Der einzige Weg, wie er so viel Druck aushalten konnte, war sich auf jeden einzelnen Ball zu konzentrieren, der auf ihn zukam. Denk nicht an den vorhergehenden oder nachfolgenden Ball. Nimm sie, einen nach dem anderen.

Chen konnte hören, dass ihm sein Teammitglied etwas zurief, aber er konnte es nicht verstehen. Der nächste Ball war bereits im Anflug, und das war das Einzige, worauf er sich konzentrieren konnte. Immer dann, wenn er eigentlich schon erschöpft schien, schaltete sein Verstand jeden anderen Reiz aus. Alles, außer diesem einen Ball, war für ihn alles entscheidend; er konnte kaum etwas anderes sehen oder hören. Ein weiterer Schlag, ein weiterer Smash, ein weiterer Flip. Es war immer ein anderer Ball, der ihn herausforderte.

Plötzlich hörte Chen einen leisen Schrei. *Während des Trainings schreien die Leute immer. Konzentrier dich auf den Tisch,* dachte er bei sich. Aber es kamen keine Bälle mehr auf ihn zu. Er schaute sich um und sah, wie sein Teammitglied eine seiner Hände in die andere presste und sich vor Schmerzen krümmte. Chen rannte auf ihn zu.

“Was ist passiert?”

Der Typ konnte kaum sprechen. “Es tut weh, es tut weh.”

Chen betrachtete die Hand des anderen. Sie war rot und schwoll stark an. Keiner in der Sporthalle konnte ihnen helfen. “Lass mich das Betäubungsspray holen.” Chen besprühte die Hand, aber auf dem Gesicht des anderen war keine Erleichterung zu sehen.

“Komm, wir müssen ins Krankenhaus fahren. Das scheint eine schwerere Verletzung zu sein.” Chen brachte ihn zu seinem Auto, und in weniger als einer halben Stunde waren sie im nächstgelegenen Krankenhaus, irgendwo in einem Vorort von Peking.

Noch vor vierundzwanzig Stunden hätte Lin niemals geglaubt, dass sie in weniger als einem Tag für eine unbestimmte Zeit in Quarantäne verbracht werden würde. Sie war in der Schule und hatte Biologie- und Chemieunterricht, bevor sie nach Hause gehen konnte. Lin war in ihrem letzten High School-Jahr. Im chinesischen Bildungssystem war das das wichtigste. Jeder Schüler, der sich an einer Universität irgendwo im Land einschreiben wollte, musste am Ende der High School die Aufnahmeprüfung ablegen. Basierend auf den daraus resultierenden Ergebnissen wurden sie für die entsprechenden Universitäten ausgewählt. Für viele Studenten, die aus der Arbeiterklasse stammten, war die Zulassung zu einer der hochrangigen Universitäten die einzige Möglichkeit, sich vom Rest ihrer Familie abzuheben und die Chance zu nutzen, ihren sozialen Status zu verbessern. Daher konzentrierten sich die meisten Schüler im letzten Jahr der Highschool auf das Lernen für die Aufnahmeprüfung. Für Lin bedeutete die Aufnahmeprüfung für eine Universität jedoch nur eine von vielen Möglichkeiten. Ihr Vater war ein erfolgreicher Geschäftsmann, der mehrere Firmen auf der ganzen Welt besaß.

Lin hatte nie das Gefühl, dass sie in ihrem letzten Jahr die gesamte Zeit mit ihren Studien verbringen musste. Wenn sie keine Zulassung zu der Universität des Landes erhielt, würde sie einfach in ein anderes Land gehen, um an einer der besten Universitäten im Ausland zu studieren. An der gesamten Schule gab es nur sie und vielleicht ein paar andere, die nicht in der Hektik des Studiums gefangen waren. Tatsächlich hatte ihre Mutter bereits in der Grundschulzeit vorgesorgt und sie aufs Ausland vorbereitet, indem sie sie zu privaten Englischstunden geschickt hatte. Vor kurzem hatte ihre Mutter einen jungen Muttersprachler engagiert, der mit ihr die Sprache übte und sie mit dem Leben der Studenten an den Ivy-League-Universitäten in den USA vertraut machte. Ihr Vater wusste davon nichts. Solange sie sich erinnern konnte, hatten ihre Eltern völlig unterschiedliche Ansichten darüber, wie sie erzogen werden sollte. Ihr Vater war streng und generell nicht dafür, ihr mehr Vorteile zuzugestehen als einem Kind der Mittelschicht. Das war auch der Grund dafür, warum sie immer noch auf eine öffentliche Schule ging, im Gegensatz zu den anderen Kindern aus ihrer Nachbarschaft. Ihr Vater war der Meinung, dass sie zusammen mit Schülern ohne ihre Privilegien lernen und erfahren sollte, wie sich das Leben für die meisten Menschen in ihrem Land gestaltete. Als Lin jünger war, während der Grund- und Mittelschule, hatte sie kein Problem damit gehabt. Aber als sie heranwuchs und die Unterschiede zwischen ihrem Lebensstil und dem der anderen Kinder in ihrer Nachbarschaft kennenlernte, begann sie es zu hassen. Sie musste in zwei völlig unterschiedlichen Welten leben. Morgens war sie in einer Schule, in der einige der Kinder nicht genug Geld hatten, um sich einen neuen Stift, ein Notizbuch oder eine Tasche zu kaufen, während sie nachmittags zum Privatunterricht mit Kindern ging, die darauf trainiert waren, den Reichtum ihrer Eltern zur Schau zu stellen. Morgens schämte sie sich für ihr bequemes Leben, und nachmittags fühlte sie sich unter den reichen Kindern unzulänglich. Lin fühlte sich in keine der beiden Gruppen zu Hause. Für die meisten von ihnen war sie eine Fremde. In der öffentlichen Schule hatte Lin immer die besten und teuersten Kleider und Schreibwaren, so dass sie von vielen beneidet wurde. Im Privatunterricht hingegen konnte sie nicht verstehen und nachvollziehen, wie die Schüler mit ihrem Reichtum prahlten. Nie würde sie den Tag vergessen, an dem sie verspottet wurde, weil sie den Namen irgendeiner Kleidermarke nicht kannte. Trotzdem bestand ihre Mutter darauf, dass sie lernte, wie man in den höheren Gesellschaften der Welt lebte. Schließlich wollte sie eines Tages dazu gehören. Deshalb arrangierte sie den Nachmittagsunterricht, ohne Lins Vater davon in Kenntnis zu setzen. Er war zu sehr mit seiner Arbeit und den damit verbundenen Reisen beschäftigt, um Lins Zeitplan im Auge zu behalten.

An diesem Tag jedenfalls kam Lin direkt nach der Schule nach Hause. Es war Mittwoch, und Lin wusste, dass sich ihre Mutter an geraden Wochentagen mit ihren Freundinnen im Fitnessstudio aufhielt. Also ließ sie ihre Privatstunde ausfallen. Sie hatte einen viel besseren Plan für diesen Nachmittag: Sie wollte ihren Roman zu Ende lesen, den sie am Abend zuvor begonnen hatte. Die Geschichte war so spannend, dass sie bis zwei Uhr in der Nacht weitergelesen hatte. Es ging auf die fesselnden Stellen zu, und Lin konnte es nicht abwarten, das Ende der Geschichte zu erfahren.

Als Lin von der Schule nach Hause kam, öffnete sie ganz leise die Haustür und schaute ins Wohnzimmer. Das Haus zeigte sich völlig still. Sie hielt den Atem an. Ihre Mutter war offenbar nicht zu Hause, sonst würde sie sie am Telefon hören. Zumindest aber würde der Klang des Fernsehers oder aber Musik wahrnehmbar sein. Ihre Mutter war kein ruhiger Mensch. Lin lächelte. Bevor sie die Treppe zu ihrem Zimmer hinaufging, ging sie in die Küche, um sich ein Sandwich zu machen. Nichts war besser, als in ein Sandwich zu beißen, während man sich auf dem Bett in ein Buch vergrub. Sie nahm das Sandwich mit und ging die Treppe hinauf. Als sie den zweiten Stock erreichte, hörte sie ein Wimmern aus dem Schlafzimmer ihrer Eltern. Da die Tür geschlossen war, konnte sie keinen Blick ins Zimmer werfen. Sie stellte ihre Tasche und das Sandwich ab und ging langsam auf die Tür zu. Als sie näher kam, wurde das Geräusch immer lauter. Ja, es war definitiv jemand hinter der Tür. Lin bekam es mit der Angst zu tun. Sie wollte es nicht zugeben, aber in diesem Moment wünschte sie sich, ihre Mutter wäre zu Hause. Schließlich öffnete sie langsam die Tür. Ihre Mutter lag auf dem Boden, ihr Gesicht war rot.

“Mama! Was ist passiert? Warum liegst du auf dem Boden?”

Die Angesprochene konnte kaum sprechen. “Ich weiß es nicht. Ich bin mit Fieber aufgewacht, kurz nachdem du das Haus verlassen hast, um zur Schule zu gehen. Ich beschloss, mich heute im Bett auszuruhen, aber als ich aufstand, um mir etwas zu trinken zu holen, wurde ich ohnmächtig. Als ich wieder zu mir kam, lag ich auf dem Boden.” Sie musste tief einatmen, um ihre Sätze zu beenden.

Lin versuchte, ihr beim Aufrichten zu helfen. “Du glühst ja förmlich.”

“Ruf bitte einen Krankenwagen. Wir müssen ins Krankenhaus. Ich fühle mich wirklich nicht gut.”

Lin rief nach der Ambulanz. Zusätzlich wollte sie ihren Vater anrufen, aber was konnte er schon tun? Er war mindestens zehn Flugstunden von zu Hause entfernt. Lin war sich nicht einmal sicher, in welchem Land er sich momentan aufhielt. Also verwarf sie die Idee wieder. Der Krankenwagen war in weniger als zehn Minuten da. Sie stellten Lin und ihrer Mutter einige Fragen, während sie die Kranke in den Krankenwagen brachten. Am Ende gab einer von ihnen Lin einen weißen Kittel. “Hier, zieh das an und setz die Maske auf.”

Lin war verwirrt. “Wozu brauche ich das?”

“Die Krankheit deiner Mutter könnte ansteckend sein. Seit heute Morgen haben wir Dutzende solcher Fälle in dieser Gegend. Jeder, der mit diesen Patienten in Kontakt war, muss sich schützen.”

# 4

Während die erste Gruppe von Menschen aus dem Krankenhaus kam und in die Busse stieg, dachte General Xiong an das Notfall-Sicherheitstreffen vom gestrigen Abend, an dem er teilgenommen hatte. Es hatte in einem der versteckten Militärbunker in Peking stattgefunden. Wie bei vielen ähnlichen Sicherheitstreffen kannte er im Vorfeld das Thema des Treffens nicht. Als er den Raum betrat, sah er einige bekannte Gesichter. Alle gehörten zu den einflussreichsten Mitgliedern der herrschenden Partei, des Kabinetts sowie der Militärgeneräle. General Xiong salutierte und setzte sich an das Ende des großen Tischs im Raum. Aufgrund seiner Erfahrung im Laufe der Jahre mit solchen Treffen, schien es ihm sicherer, sich unsichtbar zu machen. Die meisten Entscheidungen, die hier getroffen wurden, hatten erhebliche Konsequenzen, und General Xiong zog es vor, kein Teil davon zu sein. Er verhielt sich die meiste Zeit während der Besprechungen still und reagierte nur, wenn man ihn direkt ansprach. Als sich alle im Raum versammelt hatten, wurden die Türen verriegelt, um sicherzustellen, dass die Besprechung geheim blieb. Die erste Person, die sprach, war der Stellvertreter des nationalen Sicherheitsberaters des Präsidenten.

“Meine Herren, zum zweiten Mal in diesem Jahr stehen wir vor einem Problem, das eine tatsächliche Bedrohung für die Sicherheit unseres Landes darstellen könnte. In den letzten zwei Tagen hat eines der Krankenhäuser in Peking mehrere Patienten mit schweren Atemwegs-Symptomen aufgenommen. Die Krankheit ähnelt derjenigen, die sich vor einem halben Jahr ausbreitete und wird durch eine mutierte Variante desselben Virus verursacht. Das mutierte Virus verursacht schwerere Fälle und tötet über siebzig Prozent der Patienten. Es verbreitet sich noch schneller als die vorherige Version und kann auf Oberflächen lange Zeit aktiv bleiben. Kurz gesagt, es ist viel gefährlicher, und deshalb müssen wir die Verbreitung in der Bevölkerung unbedingt verhindern. Würde sich dieses Virus ausbreiten, könnte es Millionen von Menschen töten, möglicherweise sogar eine Milliarde. China würde das nicht überleben. Bis jetzt, so schätzen wir, haben sich weniger als tausend Menschen mit dem Virus angesteckt oder waren ihm ausgesetzt. Wir müssen schnell entscheiden, wie wir dieses Problem angehen. Sonst wird das für unser Land eine der größten Katastrophen seit Jahrhunderten.” Der Mann verstummte und setzte sich auf seinen Stuhl.

Ein paar Sekunden lang sprach niemand. Anschließend stand der Gesundheitsminister auf und begann zu sprechen. “Bis jetzt haben wir die Patienten daran gehindert, das Virus in den Krankenhäusern zu verbreiten. Das ist uns gelungen, weil wir alle in ein bestimmtes Krankenhaus außerhalb von Peking gebracht haben. Nach den neuesten Informationen, die uns vorliegen, löst das mutierte Virus bei den infizierten Patienten eine intensive Entzündungsreaktion aus, die dazu führt, dass die Krankheit sehr schnell voranschreitet und die Opfer innerhalb von ein oder zwei Tagen sterben. Dies passiert in siebzig Prozent der Fälle. Bei den übrigen Patienten reagiert das Immunsystem in der Anfangsphase schnell und inaktiviert das Virus. Diese Patienten zeigen keine Symptome. Wir sind uns aber nicht sicher, ob sie ansteckend sind oder nicht. Deshalb sollten sie auf jeden Fall unter Quarantäne gestellt werden."

Der Gesundheitsminister sprach noch, als ihn einer der Generäle unterbrach. "Es tötet siebzig Prozent der Patienten?! Dieses Virus ist tödlicher als die meisten unserer Waffen. Egal wie, wir müssen es eindämmen. Oder besser noch... es zerstören."

"Was meinen Sie damit? Wir wissen kaum etwas über das Virus. Uns fehlt die nötige Behandlung dafür. Wie sollen wir es zerstören?", fragte der Gesundheitsminister.

"Nun...tötet das Virus nicht sowieso die meisten von ihnen? Und der Rest...na ja, vielleicht können sie ein ultimatives Opfer für ihr Land bringen", sagte der General.

Plötzlich sahen alle im Raum zu ihm hin. Sie waren sich nicht sicher, ob sie richtig verstanden hatten, was genau der General damit andeuten wollte.

Schließlich stellte der nationale Sicherheitsberater die Frage, die jeder im Kopf hatte, sich aber nicht zu fragen traute. "Wollen Sie damit vorschlagen, dass wir jeden, der mit dem Virus in Kontakt war, absichtlich liquidieren, unabhängig davon, ob er sich angesteckt hat oder ansteckend ist?"

"Wenn wir es jetzt tun, verhindern wir den Tod von unzähligen Zivilisten. Im Moment sind die Zahlen niedrig. Das ist genau der Zeitpunkt, um entschlossen zu handeln... zum Wohle unseres Landes. Eine *70-prozentige* Todesrate. Denken Sie darüber nach. Wenn sich der Virus ausbreitet, müssen wir den Tod von Millionen und Abermillionen in Kauf nehmen. Dies ist Krieg! Und in Kriegen opfert eine Minderheit ihr Leben für den Rest. Sonst können in diesen wenigen Tagen des Krieges viel mehr sterben. Betrachten Sie die Menschen als Opfer des Krieges gegen dieses Virus", sagte der General.

General Xiong war bis jetzt ruhig geblieben, aber das konnte er so nicht mehr tolerieren. "Der Unterschied ist, dass man im Krieg nicht auf die eigene Zivilbevölkerung zielt. Wir haben einen Eid geschworen, sie zu schützen. Jeden einzelnen, und nicht eine Gruppe für eine andere zu opfern."

"Ich muss zugeben, er hat Recht. Das ist der sicherste Weg", widersprach der Berater.

"Aber es ist unmoralisch und sicher nicht der richtige Weg, damit umzugehen", sagte General Xiong. "Wer auch immer dieses Virus überlebt, ist vielleicht in einer Woche oder einem Monat nicht mehr gefährlich. Wie können Sie sich dazu durchringen, ihnen so schnell und direkt das Leben zu nehmen?"

"Was ist, wenn sie über Jahre hinweg ansteckend bleiben? Was ist, wenn Spuren des Virus in ihrem Blut überleben? Wir wissen einfach nicht genug über dieses Virus", antwortete der Berater.

"Nun, lassen Sie mich Ihnen ein Beispiel geben: Wir wissen, dass nukleare Abfälle jahrelang tödlich sind. Was machen wir mit ihnen? Ich werde es Ihnen sagen. Wir halten sie getrennt in einem abgeschlossenen Raum irgendwo in der Ferne, um sämtliche Risiken zu reduzieren. Warum können wir das nicht auch mit diesen Menschen tun, indem wir sie in Quarantäne halten? In der Zwischenzeit können wir das Virus studieren. Vielleicht stellen wir fest, dass es nach einem Monat oder einem Jahr ungefährlich ist. Dann können wir die Überlebenden wieder in die Gesellschaft entlassen", sagte General Xiong.

"Es ist zu riskant. Es handelt sich um Menschen, nicht um Atommüll, den man tief in der Erde vergraben oder in die Ozeane werfen kann", erwiderte der Berater.

"Ja, es ist riskant, aber möglich. Wir können die Leute gefangen halten, zumindest für einige Zeit. Denken Sie darüber nach. Was ist, wenn die Welt herausfindet, dass wir unsere Bürger getötet haben, nur weil sie krank waren? Können Sie mit der öffentlichen Meinung im In- und Ausland umgehen? Lassen Sie uns an dieser Stelle keine unumkehrbare Entscheidung treffen, besonders dann nicht, wenn es um das Leben unschuldiger Menschen geht."

"Wie denkt der Rest von Ihnen?", fragte der Berater und sah sich im Raum um.

Die meisten von ihnen stimmten einer strengen Quarantäne unter der Kontrolle des Militärs zu. Niemand wollte die Verantwortung für die Tötung von unschuldigen Zivilisten aus dem eigenen Land übernehmen.

"Okay, dann... General Xiong, Sie selbst sollten die Kommandantschaft dieser Mission übernehmen. Ich will, dass es bis morgen erledigt ist. Scheitert die Mission, mache ich Sie dafür verantwortlich!"

Die Sitzung hatte insgesamt drei Stunden gedauert. Am Ende standen alle hochrangigen Generäle auf, salutierten und verließen den Raum. Nur General Xiong nicht. Er stand da und war nicht in der Lage, sich zu bewegen. Er konnte nicht glauben, was gerade beschlossen worden war. In so kurzer Zeit änderte sich das Schicksal von ein paar hundert Menschen. Er konnte es nicht fassen. Wenigstens konnte er ihnen das Leben retten. Das Schlimmste aber war, dass sie ihn ausgewählt hatten, den Plan durchzuführen. General Xiong stand fast zehn Minuten wie vom Donner gerührt an ein und derselben Stelle. Zum ersten Mal in seinem Leben wusste er nicht, wie sein nächster Schritt aussah: Wohin musste er zuerst gehen? Mit wem konnte er reden? Wie sollte er den Befehl ausführen? In den letzten dreißig Jahren seines Militärdienstes hatte er viele unmögliche Aufgaben gelöst, war oft mit dem Tod und der Verletzung von Soldaten in Berührung gekommen. Aber dieses Mal war anders. Er zog nicht in die Schlacht; es gab keinen sichtbaren Feind. Er hatte es mit Zivilisten zu tun, mit unschuldigen, aber unglücklichen Menschen. Er schloss die Augen und erinnerte sich an die vielen Soldaten, die er im Laufe der Jahre verloren hatte. Zum ersten Mal wünschte er sich, einer von ihnen zu sein. Das Gewicht dieser Verantwortung war zu viel für ihn. Plötzlich hatte er das Gefühl, dass seine Beine sein Gewicht nicht mehr tragen konnten. Er setzte sich auf einen Stuhl, blickte aus dem Fenster in die Dunkelheit der Nacht. Seine Augen tränten. Er konnte sich nicht erinnern, wann er das letzte Mal geweint hatte und aus welchem Grund. Aber in diesem Augenblick, ganz gleich wie sehr er es auch versuchte, konnte er seine Tränen nicht zurückhalten. Ein paar Minuten vergingen. Dann wischte er sich die Tränen weg. Er hatte keine Wahl. Schließlich war er ein Soldat und musste Befehle befolgen. Er fuhr direkt zurück zu seinem Stützpunkt, außerhalb Pekings.

“Sagen Sie Kapitän Tu, ich will ihn sofort sprechen”, sagte General Xiong zu einem Soldaten, der am Eingang seines Büros stand.

Ein paar Minuten später erschien ein Mann mittleren Alters mit kantigem Gesicht, dünnen Lippen und einer geraden Nase an der Tür. Seine Miene war ausdruckslos. Mit einem militärischen Gruß meldete er sich zu Wort: “Ja, Sir.” Es war Kapitän Tu.

Kapitän Tu war einer der wenigen Menschen, die vor langer Zeit an der Seite des Generals gekämpft und ihn durch viele schwierige Situationen begleitet hatte. Er war die einzige Person, auf die sich General Xiong bei dieser Mission bedingungslos verlassen konnte. Er befolgte seine Befehle stets perfekt.

“Kommen Sie rein, Kapitän”, sagte der General. “Wir haben einen vertraulichen Auftrag, den wir so schnell wie möglich ausführen müssen.” Er erklärte Kapitän Tu das Vorhaben. “Wir müssen die Patienten, ihre Familien und alle Leute, die im Krankenhaus arbeiten vom Rest der Bevölkerung trennen. Es sind bislang über fünfhundert Menschen. Wir erwarten, dass die meisten dieser Patienten in den nächsten Wochen sterben werden. Diejenigen, die überleben, müssen getrennt bleiben, bis wir sie behandeln können, oder aber sobald wir wissen, dass sie nicht ansteckend sind. Die Frage lautet: Wohin mit ihnen? Man gab mir drei Möglichkeiten: eine verlassene Militärbasis in der inneren Mongolei, eine psychiatrische Klinik in einer unbewohnten Provinz von Yunnan und ein Lager, das für die Aufbewahrung von geheimen Langzeitgefangenen gebaut wurde. Das erste hat eine größere Fläche, ist aber nicht dafür gemacht, Menschen einzusperren, also halte ich es nicht für eine geeignete Option.”

“Und was ist mit den anderen beiden?” fragte Kapitän Tu.

“Nun, das ist die bessere Option. Sie haben das Lager speziell für diesen Zweck gebaut. Aber es wurde noch nie benutzt und sollte für kritische Situationen bzw. bestimmte Personen streng geheim bleiben. Das Problem ist jetzt, wenn wir es für diesen Zweck benutzen, ist es nicht mehr geheim.”

“Nun, diese Art der Information ist äußerst sensibel. Ich bin sicher, es gibt noch andere geheime Einrichtungen im Land, von denen wir nichts wissen. Außerdem, die Lage ist kritisch, nicht wahr?” fragte Kapitän Tu.

“Ja, das ist sie. Obwohl ich wünschte, es wäre nicht so. Nun, dann ist es entschieden. Nehmen wir das Lager. Wir können nicht viel für die Betroffenen tun, außer ihnen das Nötigste wie Essen und Medizin zur Verfügung zu stellen. Niemand darf das Lager betreten. Sie werden also lernen müssen, dort auf eigene Faust zu leben. Unter ihnen sind Krankenschwestern und Ärzte, die sich um diejenigen kümmern können, die in einem kritischen Zustand sind. Machen Sie sich und Ihre Einheit bereit. Wir müssen sofort mit den Vorbereitungen anfangen. Dies ist eine streng geheime Mission und keiner Ihrer Soldaten darf wissen, um was genau es geht. Wir werden überall im Lager Spezialeinheiten vorhalten, um sicherzustellen, dass keiner von ihnen entkommen kann. Los, an die Arbeit”, damit beendete General Xiong die Besprechung.

Ein paar Sekunden lang stand Kapitän Tu da und starrte den General ausdruckslos an. Es war unvorstellbar. Es ging um Kinder und Familien, um alte und junge Menschen. Sie alle waren zu einem langsamen Tod verurteilt, weit weg von jedem und allem, was sie liebten.

“Was machen Sie noch hier? Warum stehen Sie noch rum?” Es war die Stimme von General Xiong. “Wir müssen anfangen. Jetzt! Bereiten Sie alles vor!”

Kapitän Tu schwieg nach wie vor. Er war ein perfekter Soldat. Er konnte seine Gedanken und Emotionen perfekt verbergen und hatte gelernt nichts davon preiszugeben. Er gab einen Salut und verließ den Raum.

# 5

Wenige Stunden später öffnete Doktor Zhang seine Augen. Er und die anderen sechs Personen waren noch immer im Transporter. Alle schliefen.

“Fen, Fen! Wachen Sie auf, wach Sie auf! Haben Sie auch die ganze Zeit geschlafen?”

Fen konnte ihre Augen kaum öffnen. “Was ist los? Wo sind wir? Sind wir noch im Wagen?” Sie blickte sich um.

“Ja. Ich habe ein echt ungutes Gefühl. Es scheint, dass wir alle eine Weile geschlafen haben. Erinnern Sie sich, wann und wie Sie eingeschlafen sind?” fragte Doktor Zhang.

“Nein, ich erinnere mich, dass wir geredet haben ... und dann ... ich erinnere mich nur noch daran, dass ich extrem müde wurde.”

Doktor Zhang schaute auf seine Uhr. Es war fast sechs Uhr morgens. Plötzlich spürte er, wie das Auto langsamer fuhr und auf eine holprige Straße einbog. Durch das Schütteln des Wagens wurden alle allmählich wach. Eine Stunde später stoppte das Auto. Sie warteten ein paar Minuten. Als nichts geschah, versuchten einige die Tür zu öffnen. Sie war verriegelt. Die Insassen konnten hören, wie sich draußen Menschen bewegten. Das machte alle nervös. Was, wenn man sie im Auto vergessen hatte? Chen schlug auf die Fahrerkabine ein.

“Lasst uns raus. Wir sind hier drin gefangen. Lasst uns raus.”

Es kam keine Antwort. Kurze Zeit später hörten sie draußen jemanden sprechen, der ihnen mitteilte, sie sollten aus den Autos aussteigen. Die sieben Insassen versuchten erneut, die Tür zu öffnen. Dieses Mal war der Wagen unverschlossen, und sie kletterten, einer nach dem anderen, ins Freie. Nach so vielen Stunden im geschlossenen Wagen, tat ihnen die frische Morgenluft, die auf ihre Gesichter traf, gut. Sie fanden sich auf einem weitläufigen Feld wieder. Keiner wusste, genau wo das war. Die Umgebung bestand aus einer großen, kreisförmigen Wiese, die durch Zäune begrenzt war. In der Mitte des Felds stand ein großes weißes Gebäude, das von ein paar kleinen Gebäuden umgeben war. Anzeichen für weitere Häuser in der Umgebung gab es keine. Sie mussten sich irgendwo im Niemandsland, außerhalb der Stadt befinden. Sie vernahmen weder Lärm noch menschliche Aktivitäten in der gesamten Umgebung.

Hinter dem ersten kreisförmigen Zaun konnten sie einen weiteren äußeren Zaun erkennen. Beide waren durch einen schmalen Weg verbunden. Entlang des zweiten Zauns waren in regelmäßigen Abständen Türme angebracht, in denen sich Soldaten aufhielten, die das ganze zu bewachen schienen und auf sie herabschauten. Einige von ihnen hielten ihre Gewehre auf die Neuankömmlinge gerichtet.

Lin zitterte. Sie wusste nicht, ob es an der Kühle des Morgens oder am Anblick der voll bewaffneten Soldaten lag. Bei diesem Ort handelte es sich definitiv nicht um ein Krankenhaus, sondern eher um ein gut bewachtes Gefängnis.

Nach und nach stiegen alle Passagiere aus den Bussen und Transportern aus. Insgesamt waren es ein paar hundert Menschen, die sich verwirrt auf dem Feld umsahen und versuchten zu verstehen, wo es sie hin verschlagen hatte.

"Bitte treten Sie in das Hauptgebäude ein. Bitte treten Sie in das Hauptgebäude ein." Die Stimme kam aus einem Lautsprecher. Sie hatte einen festen Ton, der vermuten ließ, dass der Besitzer es gewohnt war, Befehle zu erteilen. Alle zögerten einen Augenblick, nicht sicher, wie sie auf die seltsame Stimme reagieren sollten, die sich aus unbekannter Quelle aus der Luft verbreitete. Nachdem der Befehl ein paar Mal wiederholt worden war, gehorchten schließlich alle und bewegten sich auf den Eingang des Hauptgebäudes zu. Sobald sie eingetreten waren, erfüllte sie der Geruch neu gestrichener Wände. Der Eingang im Erdgeschoss war durch einen langen, schmalen Korridor mit einer großen Halle verbunden. Die Wände des Korridors waren weiß und kahl. Es fühlte sich an, als würden sie in eine unbegrenzte Leere eintreten. Es gab keinen Hinweis darauf, dass sich hier schon mal irgendjemand aufgehalten hatte. Als sich alle in der Halle versammelt hatten, ertönte die Stimme aus dem Lautsprecher erneut. "Achtung, Achtung!"Plötzlich wurde es still im Saal. Alle blickten auf die Ecke des Raumes, aus der der Ton kam. Es schien so, als ob das

Anstarren des Lautsprechers helfen könnte, sich das Gesicht des Mannes vorzustellen, der hinter der Stimme steckte. Der Sprecher stellte sich als "Kapitän Tu, Leiter des Lagers" vor, der vom nationalen Sicherheitsrat mit der Durchführung dieser Mission beauftragt worden war. Er begann damit, sie im Lager willkommen zu heißen und fuhr fort:

"Wir bedauern, dass wir Ihr Leben unterbrechen und Sie alle an diesen Ort bringen mussten. Der Grund, warum Sie hier sind, besteht im Schutz der allgemeinen Bevölkerung unseres Landes. Von nun an wird Ihr Leben anders verlaufen. Sie alle haben sich mit einer mutierten Variante des Virus angesteckt, der die erste Welle der Pandemie verursacht hat. Oder aber waren damit in Kontakt. Diese mutierte Version ist viel gefährlicher. Sie hat eine siebzigprozentige Sterblichkeitsrate und bleibt lange Zeit auf allen Oberflächen aktiv. Wir können daher nicht das geringste Risiko eingehen, dass sich das Virus in der ganzen Nation ausbreitet. Es würde sonst zu einem Massaker in unseren Gemeinden führen. Deshalb hat der Nationale Sicherheitsrat beschlossen, Sie in diesem Lager unter Quarantäne zu stellen. Ihre Anwesenheit ist nicht nur für Sie persönlich von Vorteil, weil Sie alle medizinischen Geräte zur Verfügung haben, die Sie eventuell brauchen werden. Es ist darüber hinaus wichtig, die Gesundheit der restlichen Bevölkerung im Land zu schützen. Wir können niemanden mehr aus dem Lager entlassen. Von nun an sollten Sie sich als neue Gemeinschaft begreifen und umeinander kümmern. Jeder von Ihnen wird eine Aufgabe übernehmen, basierend auf der Anleitung, die wir Ihnen allen geben. Diejenigen von Ihnen mit medizinischem Hintergrund werden sich um die Patienten in kritischem Zustand kümmern, andere werden das Essen verteilen, das wir für Sie bereitstellen, die Gemeinschaftsräume reinigen und die Leichen derjenigen einäschern, die nicht überleben werden. Überall im Gebäude gibt es Kameras. Ein Teil davon ist versteckt. Seien Sie sich also bewusst, dass wir Sie überwachen können, während Sie Ihre Aufgaben erledigen. Vielleicht haben Sie bemerkt, dass wir Ihnen, während wir Sie hierher brachten, Peilsender an den Fußknöcheln angebracht haben."

Sofort schaute jeder zu seinen Füßen hinunter und fand dort ein dünnes, plastikartiges Band vor.

Die Stimme fuhr fort: "Wir können Sie verfolgen, wohin Sie auch immer gehen. Versuchen Sie erst gar nicht, aus dem Lager zu fliehen. Wir haben mehrere Hindernisse um das Lager angebracht, und militärische Kräfte werden das Lager zu jeder Zeit bewachen. Sobald Sie die Zäune überwinden, werden Ihre Fußbänder automatisch explodieren. Das bedeutet, dass Sie im besten Fall ein oder beide Beine verlieren werden. Unser Vorschlag an Sie lautet also: Versuchen Sie, diese wenigen Wochen, die Ihnen noch verbleiben, in Ruhe zu verbringen. Versuchen Sie, sich zu unterhalten und zu entspannen. Wenn Sie etwas Verbotenes unternehmen oder sich den anderen gegenüber gewalttätig verhalten, werden wir Sie mit Elektroschocks, die wir über Ihre Fußbänder steuern können, vorübergehend außer Gefecht setzen. Uns ist klar, dass diese Vorsichtsmaßnahmen extrem sind, aber wir können nicht riskieren, dass sich das Virus unter der Bevölkerung ausbreitet. Wenn Sie sich an alle Maßnahmen halten, gehören Sie vielleicht zu denjenigen, die diesen Virus überleben werden. Wir können Sie jedoch nicht frei lassen. Zumindest solange wir nicht sicher sind, dass das Virus nicht auf andere übertragbar ist. Selbst wenn Sie also zu den Überlebenden gehören, müssen Sie hier bleiben, bis ein Heilmittel oder ein Impfstoff gefunden ist. Außerdem können wir den Rest der Bevölkerung nicht über die Ausbreitung des neuen Stamms des Virus informieren, da dies Panik und Chaos im ganzen Land auslösen würde. Das heißt für Sie, dass Sie niemanden außerhalb des Lagers kontaktieren dürfen.

Wir werden jeden, mit dem Sie in den letzten zwei Tagen in Kontakt gestanden haben ins Lager bringen. All ihre restlichen Freunde und Verwandten werden denken, dass Sie gestorben sind. Wir haben Ihre Totenscheine ausgestellt und ihre Angehörigen darüber informiert, dass wir die Leichen wegen des Virus nicht für die Beerdigung freigeben können. Seien Sie sicher, dass niemand erwartet, je wieder von Ihnen zu hören. Wir werden versuchen, diesen Ort für Sie so angenehm wie möglich zu gestalten. Wir bitten Sie, das Gleiche zu tun. Sie werden sich wohler fühlen, wenn Sie die Regeln befolgen. Betrachten Sie dies als ein Opfer, das Sie für Ihr Land bringen müssen.

Diese große Halle, in der Sie sich im Moment befinden, ist der primäre Ort für Versammlungen. Wenn wir irgendwelche Ankündigungen machen müssen, werden wir Sie bitten, sich an diesem Ort zu versammeln. Die übrige Zeit können Sie ihn als Gemeinschafts- und Sozialraum nutzen. Ebenso dient er Ihnen als Kantine. Jeden Tag zur Mittagszeit werden einige von Ihnen dafür verantwortlich sein, das Essen an die übrigen Bewohner in diesem Saal zu verteilen. Im ersten Stock befindet sich die medizinische Station. Jeder, der Krankheitssymptome zeigt oder sich in einem kritischen Zustand befindet, wird dorthin verlegt. In den Stockwerken zwei bis vier gibt es ausreichend Schlafräume.

Jeder von Ihnen kann sich ein Zimmer aussuchen, in dem er wohnen möchte. Wenn Sie auf Ihre Trackingbänder schauen, werden Sie eine Nummer sehen, die Ihnen zugewiesen ist. Anhand dieser Nummer und der Liste, die Sie an der Tafel finden, werden Ihnen Ihre Aufgaben im Camp zugewiesen. Jeder, der eine medizinische Ausbildung hat, muss auf der Krankenstation helfen. Sie stehen ab sofort in der Verantwortung. Es gibt Patienten in kritischem Zustand, die mit Krankenwagen hierher gebracht wurden. Bitte kümmern Sie sich um diese Menschen, bevor es zu spät ist. Der Rest von Ihnen bleibt ruhig und befolgt die Richtlinien."

Die Lautsprecher verstummten. Kapitän Tu sah General Xiong an. Sie saßen in einem Raum, der sich in einem kleinen Gebäude in der Nähe des Lagers befand. Von hier aus würde Kapitän Tu und seine Einheit das Lager leiten. Der Raum war voller Bildschirme, die Ansichten verschiedener Kameras aus dem Lager zeigten. Ein paar Soldaten waren dort stationiert und kontrollierten die Monitore ständig. Einer von ihnen zeigte eine zweidimensionale Karte eines jeden Stockwerks aus dem Hauptgebäude. Verschiedene Nummern erschienen, verschwanden und flimmerten erneut über den Bildschirm. Jede Nummer gehörte zu einem der Lagerbewohner. Ihr Standort wurde über die Fußfessel erfasst und in diesen Raum gesendet. In diesem Moment befanden sich fast alle Nummern noch in der Haupthalle. Einige waren in den Gängen des Erdgeschosses und im Hof des Lagers verstreut.

General Xiong wandte seinen Blick von den Monitoren ab und sah Kapitän Tu an. "Mussten Sie so harsch klingen? Das sind normale Menschen, keine Gefangenen. Sie könnten ihnen gegenüber ruhig etwas mehr Mitgefühl zeigen. Schließlich ist es eine schwierige Lage, in der sie gefangen sind, und es ist nicht ihre Schuld."

"Ich weiß. Aber meiner Erfahrung nach wird sich niemand durch reine Nachsicht an die Regeln halten. Ich möchte nur, dass alle wissen, dass die Lage ernst ist und dass das Brechen der Regeln harte Konsequenzen haben wird", antwortete Kapitän Tu.

General Xiong wollte sich nicht mit Kapitän Tu streiten. Er war der Leiter des Lagers und war für alles verantwortlich. Er hatte also bis zu einem gewissen Grad das Recht, es so zu führen, wie er es für richtig hielt. "Wie auch immer", sagte General Xiong, "Die ersten paar Tage, bis sie sich an ihr neues Leben gewöhnt haben, werden die schwierigsten sein. Seien Sie auf etwaigen Ungehorsam sowie Unruhen vorbereitet."

"Ja, Sir. Ich werde Sie jeden Tag auf den neuesten Stand bringen", antwortete Kapitän Tu.

Während sie sich unterhielten, zeigte ein Soldat auf den Monitor, der die Halle im Hauptgebäude abbildete. "Sehen Sie, Sir, ich glaube, wir haben ein Problem."

General Xiong und Kapitän Tu schauten auf den Monitor. Ein großer Mann mit muskulösem Körperbau stand auf einem Tisch und rief etwas. "Schalten Sie den Ton an", befahl Kapitän Tu dem Soldaten. Er befolgte den Befehl, und ein paar Sekunden später breitete sich die Stimme des Mannes im Überwachungsraum aus.

"Das ist absoluter Blödsinn. Sie haben uns angelogen. Wir können nicht gehen, wir können unsere Familien und Freunde nicht mehr sehen, und das auf unbestimmte Zeit. Das hier ist ein Gefängnis. Wir sind aber keine Kriminellen.

Sie können uns nicht hierbehalten. Niemand kann mir sagen, was ich zu tun habe, nicht einmal *der Lagerleiter!* "Er nahm einen Stuhl und hielt ihn über seinen Kopf. Er wollte den Stuhl gerade in Richtung Lautsprecher werfen, als Kapitän Tu dem Soldaten einen Befehl gab: "Elektroschock, sofort!" Der Soldat klickte auf einen Knopf am Computer, direkt vor ihm.

Plötzlich piepte die Fußfessel des Mannes und versetzte ihm einen leichten Stromschlag. Eines seiner Knie knickte ein, und der Stuhl fiel ihm aus den Händen. Er versuchte aufzustehen. Diesmal war das Signal seiner Fußfessel stärker. Beide Knie knickten ein. Ein paar Sekunden später brach er völlig zusammen.

Über den Lautsprecher ertönte Kapitän Tus Stimme: "Dies ist Ihre erste Warnung! Und wir hoffen, es wird Ihre letzte sein! Wir werden unser Bestes tun, um jeden aufzuhalten, der sich gewalttätig aufführt. Bitte bleiben Sie ruhig und befolgen Sie die Befehle. Gewöhnen Sie sich an das Leben hier und schützen Sie die Menschen außerhalb des Lagers."

Kapitän Tu verstummte. Er blickte zu General Xiong hinüber, um ein Zeichen der Zustimmung zu erhalten, aber dessen Gesicht zeigte alles andere als das. Er warf einen Blick auf Kapitän Tu, schüttelte den Kopf und eilte aus dem Raum.

Zum zweiten Mal wurde es ganz still im Saal, nachdem Kapitän Tu den Lautsprecher ausgeschaltet hatte. Dieses Mal wagte niemand zu hinterfragen, was sie gerade vernommen hatten. Schließlich wussten sie, dass eine weitere Bestrafung die Folge jeder Antwort oder jeden Ungehorsams sein würde. Mit der Zeit verstreuten sich alle im Gebäude. In der Halle weinten einige, während andere schweigend und ziellos durch den Raum liefen. Ein Typ schrie hysterisch und fluchte lautstark. Ein anderer schlug gegen die Wand.

Doktor Zhang konnte das alles nicht verarbeiten und verließ den Raum. Fen konnte ihn auf dem Korridor hin und her wandern sehen. Ein paar Minuten später war er aus ihrem Blickfeld verschwunden. Sie sah sich um und fand Lin, die auf einem Stuhl saß und leise weinte. Fen setzte sich neben sie und legte Lins Kopf auf ihre Schulter. Jetzt weinten sie gemeinsam.

“Was ist mit mir los? Gestern war ich noch ein glückliches, normales Schulmädchen, das nichts anderes wollte, als allein mit seinen Büchern zu sein. Jetzt hat sich mein gesamtes Leben auf den Kopf gestellt: Ich habe meine Mutter verloren und bin hier mit einem Virus gefangen, der mich wahrscheinlich umbringen wird.”

“Ich weiß, keiner von uns kann das alles so recht glauben. Es ist so unwirklich.” Fen versuchte, das Mädchen zu beruhigen, aber sie fand nicht die richtigen Worte. Sie hatte recht. Vor einem Tag hätte keiner von ihnen gedacht, dass sie in so eine Situation geraten würden.

Auf der anderen Seite des Raumes sprach Chen laut mit sich selbst. “Ich muss zurückgehen. Ich habe so hart trainiert, um in die Nationalmannschaft zu kommen. Ich muss zurück. Meine Trainingseinheiten warten auf mich.” Als ob er sie durch diese Wiederholung dazu bringen könnte, ihn gehen zu lassen.

Nach einer Stunde war es ein wenig ruhiger geworden. Die meisten Bewohner hatten an Energie verloren und waren nun still, müde vom Weinen und Schreien. Sie starrten ausdruckslos ins Leere. Ihre Mienen schienen leer und unglücklich.

Lin und Fen saßen dicht beieinander, als Fen spürte, wie ihr jemand auf die Schulter klopfte. Sie schaute auf und sah Doktor Zhang. "Fen, ich brauche Sie auf der Krankenstation", sagte er. "Es sind mindestens zwanzig Patienten dort. Sie brauchen unsere Hilfe. Bis jetzt waren wir nur zu fünft. Das reicht nicht aus, uns um alle zu kümmern."

"Sicher, Doktor, ich komme."

Sie wollte gerade aufstehen und Doktor Zhang folgen, als Lin fragte: "Kann ich mitkommen und helfen?"

"Nein, ich glaube nicht. Du hast keine Erfahrung. Außerdem weiß ich nicht, wie die Situation auf der Krankenstation ist. Vielleicht kann ich dir später ein paar Hilfstätigkeiten beibringen", sagte Fen.

"Aber ich weiß nicht, was ich tun oder wohin ich gehen soll", antwortete Lin.

"Weißt du was? Wenn du möchtest, kannst du ein Zimmer für uns beide suchen. Sie haben gesagt, dass sich die Zimmer im zweiten bis vierten Stock befinden. Ich habe jetzt keine Zeit, mich darum zu kümmern, aber vielleicht kannst du das für uns erledigen?", überlegte Fen laut.

"Ja, natürlich." Fen konnte ein vages Lächeln auf Lins Gesicht wahrnehmen. Sie war noch so jung und unschuldig und brauchte jemanden, der sich ein wenig um sie kümmerte. "Sobald ich die Zimmer gefunden habe, komme ich auf die Krankenstation und gebe Bescheid."

"Perfekt." Fen verließ Lin und folgte Doktor Zhang an den Eingang der Halle, wo er bereits auf sie wartete.

Die Krankenstation war für ein Gefängnis gut ausgestattet. Es gab Platz für zwanzig Patienten. Drei Betten befanden sich auf einer Art Intensivstation. *Was war das bloß für ein Ort? Ein normales Gefängnis jedenfalls nicht. Warum würde man sonst eine so gut ausgestattete medizinische Station benötigen? Warum haben sie eine solche Einrichtung mitten im Nirgendwo aufgezogen? Wenn es nicht um diese Pandemie ginge, wen wollten sie eigentlich hier festhalten? Wer auch immer "sie" waren, anscheinend hatten sie vor, sie alle recht lange Zeit hier zu behalten und dafür zu sorgen, dass alle gesund blieben.* Fen war tief in ihren Gedanken versunken, als sie sich alles in der Krankenstation genau betrachtete.

Es waren allerdings gleich mehr als zwanzig Patienten, die von den Rettungsfahrzeugen dorthin gebracht worden waren. Fen erinnerte sich, dass sie beobachtet hatte, wie die Patienten in die Krankenwagen verladen worden waren, als sie selbst in den Van stieg. *Diese Leute brachten die Patienten früher ins Lager als den Rest und ließen sie auf der Station zurück, ohne dass sich jemand um sie kümmerte. Was waren das für Menschen? Wie grausam konnte man sein? Wenn Doktor Zhang nicht gewesen wäre und diesen Patienten als erster geholfen hätte, wären sie jetzt vielleicht bereits tot.*

Fen machte sich schnell an die Arbeit. Es gab viele Dinge, die sie auf der neuen Station in Ordnung bringen musste, damit sie arbeiten und sich richtig um die Patienten kümmern konnten.

Lin konnte kaum aufstehen. Sie verließ die Halle und schleppte sich nach oben. Es gab so viele Räume auf jeder Etage. Gänge und Wände waren komplett weiß, genau wie der Boden. Lin ging in den zweiten Stock und klopfte an das erste Zimmer. “Besetzt”, sagte ein Mann von der anderen Seite der Tür. Lin ging zur nächsten Tür. Sie wollte gerade an die zweite Tür klopfen, als der Mann aus dem ersten Zimmer seinen Kopf aus der Tür steckte. “Hey, Süße, kümmere dich nicht um die Zimmer in diesem Stockwerk. Die sind alle besetzt. Vielleicht findest du noch etwas im dritten oder vierten Stock. Es könnte aber besser für dich sein, wenn du meine Mitbewohnerin wirst.” Er verzog sein Gesicht zu einem unheimlichen Grinsen.

Lin fühlte sich unter den Blicken des Mannes sofort unwohl. “Nein, danke”, antwortete sie schnell und beschleunigte ihre Schritte in Richtung Treppe. Sie konnte hören, wie der Mann von hinten über sie lachte. “Beruhige dich, Kleine, hab keine Angst. Wir werden sowieso bald alle tot sein. Wir können unsere letzten Tage also genauso gut genießen.”

Während Lin die Treppe zum vierten Stock hinaufstieg, blickte sie ständig zurück, um zu überprüfen, ob ihr der Mann folgte. Zum Glück tat er es nicht. Als sie die vierte Etage erreicht hatte, war sie völlig außer Atem. Diese Etage schien weniger überfüllt zu sein. Sie vernahm keine Geräusche aus den Zimmern. Die meisten Türen standen weit offen. Sie klopfte an eine dieser Türen am Ende des Korridors. “Hallo, ist hier jemand?” Sie bekam jedoch keine Antwort. Langsam betrat sie den Raum. Er war leer. Das Zimmer war mit einem Schrank und zwei Betten möbliert. Sie drehte sich rum, schloss die Tür ab und setzte sich auf eines der Betten. Ihr Puls hatte sich nach der Begegnung mit dem gruseligen Typ noch immer nicht beruhigt. Sie ließ ihren Blick weiter im Raum schweifen. Das könnte zu ihrem und Fens Zimmer werden. Sie wollte nicht in weiteren

Zimmern nachsehen. Es gab schließlich keine Garantie, auf einen anderen Widerling zu treffen. In ihrem ganzen Leben hatte sie sich noch nie so unsicher gefühlt. Sie war in einer sicheren Blase aufgewachsen, die ihre Eltern für sie geschaffen hatten. Sie war noch nie allein irgendwo hingegangen. Ihre Eltern oder ihr Fahrer brachten sie immer dorthin, wo sie gerade hinwollte. Ihre Augen quollen über. Ihr ganzes Leben lang hatte sie sich gewünscht, allein auf sich gestellt zu sein. Jetzt vermisste sie die Mutter und das Gefühl der Geborgenheit, das mit ihr verbunden war. Sie war jetzt weg, und mit ihr der Rest ihres eigenen Lebens. Jeder und alles, was sie kannte, war verschwunden. Je mehr sie über ihr bisheriges Leben außerhalb des Lagers nachdachte, desto mehr kamen ihr die Tränen und liefen ihr übers Gesicht.

Lin wusste nicht, wie lange sie geweint hatte, aber nach einer Weile hatte sie keine Tränen mehr. Sie fühlte sich hungrig und müde. Seit gestern Nachmittag hatte sie nichts mehr gegessen. Es war, als würde ihr Körper sie daran erinnern, dass er noch existierte und Aufmerksamkeit brauchte. Sie stand auf und schaute sich im Zimmer um. Vom Fenster aus konnte sie auf den Innenhof schauen. Einige Leute waren gerade dabei, die Umgebung zu erkunden.

Weiter entfernt konnte sie die Zäune und einen der Türme sehen, die das Lager umgaben. Oben auf dem Turm standen Soldaten, die die Bewohner überwachten. In der Ankündigung vorhin hatten sie gesagt, dass sie jeden Tag Essen anliefern würden. Wahrscheinlich musste sie noch ein paar Stunden bis zum Mittag warten, bis sie etwas zu essen bekam. Im Zimmer gab es nichts, was sie von ihrem Hunger ablenken konnte. Schließlich ging sie los, um Fen zu suchen und ihr die gemeinsame Zimmernummer mitzuteilen. Sie verriegelte die Tür und machte sich auf den Weg zur Krankenstation. Als sie auf den Flur trat, vernahm sie ein leises Geräusch. Sie folgte ihm. Die Tür eines weiteren Zimmers stand offen, und sie konnte jemanden sprechen hören. Ein paar Schritte weiter und sie sah den Tischtennisspieler, den sie aus dem Transporter kannte. Er saß auf dem Boden und flüsterte etwas vor sich hin. Lin versuchte, sich an seinen Namen zu erinnern. "Ah, ja, Chen."

Sie ging näher und klopfte an die Tür. "Chen..."

Der Typ hob den Kopf und sah sie an. "Ja?"

"Ehm, ich wollte nur nachsehen, ob es dir gut geht."

"Nein, tut es nicht!", antwortete er schroff.

"Entschuldigung, ich wollte dich nicht stören", sagte Lin enttäuscht und wich zurück.

Plötzlich fragte Chen: "Kennst du deine Aufgabe, die du hier im Lager haben wirst?"

"Nein, woher sollte ich die kennen?" antwortete Lin.

"In der Haupthalle gibt es eine Liste. Gleiche deine Nummer auf der Fußfessel damit ab", antwortete Chen.

Lin schaute auf ihre Fußfessel. Das hatte sie völlig vergessen. "Danke, ich schaue es mir direkt an. Was ist deine Aufgabe?"

Er sah ihr direkt ins Gesicht. "Ich muss die Leichen einäschern." In seinen Augen las sie Wut und Angst.

Das übertrug sich auf sie. Ungeduldig wollte sie wissen, was ihre Aufgabe war. Was, wenn man sie ebenfalls mit der Einäscherung der Leichen beauftragt hatte? Sie lief die Treppe hinunter in die Haupthalle und fand die Liste. Nach ihrer Nummer zu urteilen, gehörte sie dem Team der Essensverteilung an. Jeden Morgen würde ein Lastwagen Nahrungsmittel ins Lager bringen. Lin und ein paar andere mussten die Kisten aus dem LKW ausladen und das Essen zur Mittagszeit an die Lagerbewohner verteilen. Anschließend musste das Reinigungsteam den LKW mit den Müllcontainern vom Vortag beladen. Das Beladen des Lastwagens und das Verteilen der Lebensmittel war bestimmt nicht einfach, aber es war viel besser als Chens Aufgabe.

Nachdem Lin nun herausgefunden hatte, was ihre Aufgabe im Lager war, machte sie sich auf die Suche nach Fen. Die Türen der Krankenstation im ersten Stock waren transparent. Bevor sie die Station betrat, schaute Lin durch die Scheiben hindurch. Krankenschwestern und Ärzte eilten von einem Raum zum anderen. Sie schienen sehr beschäftigt zu sein. Sie stand ein paar Minuten vor der Tür und hoffte, Fen auf dem Flur zu sehen, aber sie tauchte nicht auf. Lin betrat leise die Station und schaute in das erste Zimmer. Ein Patient lag auf dem Bett. Eine Krankenschwester hielt ihm eine Sauerstoffmaske vor das Gesicht, um ihn beim Atmen zu unterstützen. Ein Mann injizierte ihm etwas in die Hand.

“Danach sollte er sich besser fühlen. Wenn er weiterhin Fieber hat, erhöhen Sie die Dosis des Medikaments.” Es war Doktor Zhang, der der Krankenschwester Anweisungen gab.

Lin ging in den Raum. Doktor Zhang bemerkte den Schatten. Er drehte seinen Kopf zurück und erblickte Lin.

“Ich bin gekommen, um Fen schnell etwas zu sagen”, flüsterte Lin. “Wissen Sie, wo ich sie finden kann?”

“Vor ein paar Minuten habe ich sie im letzten Zimmer des Flurs gesehen. Vielleicht findest du sie dort”, antwortete Doktor Zhang.

Lin verließ den Raum. Als sie durch den Korridor ging, überprüfte sie schnell die weiteren Zimmer. In jedem befand sich mindestens ein Patient. Einige von ihnen lagen schweigend da. Andere klagten über Schmerzen oder Kurzatmigkeit. Lin fand Fen schließlich im letzten Zimmer. Sie und zwei andere Krankenschwestern waren dabei, einem Patienten Schläuche in die Lunge einzuführen. Lin konnte sich an die Prozedur erinnern. Vor zwei Tagen hatten sie das Gleiche für ihre Mutter getan. Der Patient war wahrscheinlich in einem kritischen Zustand. Vielleicht befand er sich sogar in den letzten Stunden seines Lebens. Lin blieb draußen und wartete auf Fen. Während sie dort stand, erregte ein Schild an einer der Türen ihre Aufmerksamkeit: “LEICHENHALLE.” Sie spürte, wie ihr ein Schauer den Rücken hinunter lief. Vorsichtig öffnete sie die Tür. Es war ein düsterer Raum ohne Fenster. Kalte und frostige Luft schlug ihr entgegen und ließ sie noch stärker frösteln. An der größeren Wand der Halle öffneten sich zehn quadratische Türen zu kleinen, gekühlten Kammern. Jede der Kammern hatte einen großen Griff, um sicherzustellen, dass sie fest verschlossen und kalt blieben. Lin zitterte inzwischen. Alles an diesem Raum ekelte sie an: der Geruch, die kalte Luft, das düstere Licht. Sie verließ den Raum und ging zurück auf den Korridor. Fen war immer noch mit dem Patienten beschäftigt. Lin konnte ihren Blick nicht von der Leichenhalle abwenden. *Waren dort schon Leichen untergebracht?* fragte sie sich. Falls ja, bedeutete das, dass Chen sie bald würde einäschern müssen? *Armer Kerl.* Lin war tief in ihre Gedanken versunken, als sie hörte, wie Fen nach ihr rief.

“Lin, Lin...”

“Oh, Fen. I...” Lins Zähne klapperten noch immer. “Ich bin gekommen, um dir zu sagen, dass ich ein Zimmer für uns beide gefunden habe. Nummer 412, im vierten Stock”, fuhr sie fort.

“Geht es dir gut? Du zitterst ja!”

“Mir geht's gut. Ich habe gerade einen Blick in diesen Raum geworfen.” Lin zeigte auf den Leichensaal. “Es ist sehr kalt dort.”

“Haben Sie eine der Kammern geöffnet?”

“Nein...aber, gibt es...gibt es dort irgendwelche Leichen?”

“Ja”, sagte Fen und legte ihre Hand auf Lins Schulter. “Drei der Patienten, die die Krankenwagen gestern hierher gebracht haben, waren in einem schrecklichen Zustand. Sie starben, bevor wir etwas für sie tun konnten.”

“Oh, das tut mir leid. Und der Rest? Werden sie überleben?”

“Ich bin mir nicht sicher, sie sind in keinem guten Zustand. Es wird einige Zeit dauern, bis wir diesen Ort voll funktionsfähig organisiert haben. Alles hier ist komplett neu. Niemand hat es bisher benutzt. Wir müssen einige der Instrumente erstmal auspacken. Manchmal denke ich, die haben das vorausgesehen und diesen Ort entsprechend vorbereitet. Wie auch immer, ich komme später in unser Zimmer. Hier gibt es noch eine Menge zu tun."

"Ähm, Fen, kann ich Sie etwas fragen? Haben Sie vielleicht ein Notizbuch hier? Ich konnte außerhalb der Station keines finden. Ich dachte, Sie haben vielleicht etwas Papier, damit ich darauf schreiben kann."

"Ja, haben wir. Am Eingang, hinter der Krankenpflegestation, da habe ich einige Notizbücher und Stifte gesehen. Wofür brauchst du es?"

"Ist nicht so wichtig. Ich will mich ein wenig unterhalten." Lin ließ Fen auf der Station zurück und nahm auf dem Weg nach draußen eines der Notizbücher mit. Es war speziell für Patientenberichte gedacht. Es war mit Diagrammen und Erklärungen versehen, aber die Rückseiten waren leer. Lin konnte es ideal als Tagebuch benutzen.

Die Idee, ein Tagebuch zu führen, kam Lin in den Sinn, als sie sich an eine Begebenheit mit ihrer Mutter erinnerte: Vor ein paar Jahren war sie mit ihr unterwegs gewesen, raus aus der Stadt. Lin hatte das Radio nach dem Lieblingssender ihrer Mutter abgesucht, als sie zufällig einen historischen Sender fand. Die Reporterin interviewte gerade eine Frau aus Myanmar. Diese erzählte ihre Geschichte, als sie verhaftet worden war, weil sie gegen die Regierung protestiert hatte und zwei Jahre lang im Gefängnis festgehalten wurde. An einer Stelle erzählte die Frau: "Ich wusste, dass ich verhaftet und zu einer Gefängnisstrafe verurteilt werden würde. Dabei verspürte ich eine gewisse Art der Aufregung, denn ich hatte schon immer meine Erinnerungen an das Gefängnis dokumentieren wollen." Der Reporter war von ihrer Aussage überrascht und hakte nach. "Sie fanden es aufregend, verhaftet zu werden, weil Sie Ihre eigenen Gefängnis-Memoiren schreiben wollten?"

Sie antwortete: "Nun, das war nicht mein erster Gefängnisaufenthalt. Wenn man erst einmal im Gefängnis sitzt, gibt es nur wenige Möglichkeiten, seinen Optimismus aufrecht zu erhalten. Eine davon ist, sich mit den eigenen Memoiren zu beschäftigen und fest daran zu glauben, dass man eines Tages frei sein wird und allen diese Geschichten erzählen kann. Hätte ich die Memoiren nicht aufgeschrieben, hätte ich es im Gefängnis vielleicht nicht ausgehalten. Und ich würde jetzt bestimmt nicht mit Ihnen darüber sprechen können."

Vor dem heutigen Tag wusste Lin nicht, dass sie all diese Erinnerung in sich trug. Das Phänomen der Erinnerung war ein bizarres Konzept. Sie gehörten zu einem selbst, aber man wusste nicht, dass man sie gespeichert hatte. Solange, bis sie einem eines Tages zufällig, aber lebendig und voller Details erschienen. An diesem Morgen konnte Lin nicht verhindern, dass diese Erinnerung in ihrem Kopf aufgewirbelt worden war. Sie war irgendwie tröstlich für Lin. Sie konnte sich deutlich an ihre Mutter erinnern, und das erwärmte ihr Herz. Erinnerungen waren das Einzige, was Lin jetzt von ihrer Mutter übrig hatte. Nur Erinnerungen. Sie konnte die, die sie hatte, immer und immer wieder in ihrem Kopf wiederholen, aber keine neuen Erinnerungen an ihre Mutter würden jemals wieder hinzugefügt werden.

Lins Tränen tropften auf ihr neues Notizbuch. Ja, sie musste ihre Memoiren aufschreiben. Wäre ihre Mutter noch am Leben, würde sie sie jetzt dafür loben, dass sie über ihre Erinnerungen im Lager schrieb; und das war Grund genug für Lin, das Tagebuch zu beginnen.

# 6

Am nächsten Tag weckten Doktor Zhang früh am Morgen Motorgeräusche auf, Autos schienen ins Lager einzufahren. Er schaute aus dem Fenster. Zwei Busse voll mit Menschen waren direkt vor dem Hauptgebäude geparkt. Die Fahrer stiegen aus und sprinteten auf das Haupttor zu. Die Soldaten auf dem Turm in der Nähe des Tores zielten auf den Bereich zwischen beiden Zäunen und waren bereit, auf jeden, der sich dem Tor näherte - den Fahrern ausgenommen. Automatisch öffnete sich das Tor für die Fahrer. Sie konnten es passieren und verließen das Lager. Nach ein paar Minuten entriegelten sich die Busse, und die Fahrgäste stiegen einer nach dem anderen aus. Doktor Zhang kannte einige von ihnen. Es waren Familien seiner Kollegen, die sich bereits im Lager befanden. Plötzlich erinnerte er sich an die Liste, die er gestern im Krankenhaus ausgefüllt hatte. Er hatte die Namen seiner Frau und seiner Tochter darauf vermerkt.

*Sie müssten unter ihnen sein,* dachte er sofort. Doktor Zhang sah sich die Gesichter genauer an und fand seine Lieben ziemlich schnell. Seine Frau und seine Tochter stiegen gerade aus einem der Busse. Gestern, im Krankenhaus, als er ihre Namen auf die Liste geschrieben hatte, wusste er nicht, dass er sie damit auf unbestimmte Zeit zu einer Gefängnisstrafe verurteilt hatte. "Ich bin so ein Idiot! Ich hätte ahnen müssen, dass das passieren würde." Er war sich nicht sicher, ob er ihre Namen angegeben hätte, wenn er gewusst hätte, was genau das für sie bedeutete. Er wusste, dass sie unter Quarantäne gestellt werden mussten. Er hätte kein Problem damit gehabt, wenn der Aufenthalt für eine begrenzte Zeit gewesen wäre. Er und seine Frau konnten das Opfer bringen. Aber sich für eine potentiell unbegrenzte Zeit in einem Lager unter Menschen aufzuhalten, die ein tödliches Virus in sich trugen, war einfach zu viel. *Gab es so etwas wie ein zu großes Opfer?*

Doktor Zhang betrachtete seine Frau. Sie schien verängstigt und geschockt. Sie umarmte ihre Tochter fest, als könne diese jeden Moment verletzt werden. So hatte er sich gestern auch gefühlt, als er sich plötzlich in dem Lager wiedergefunden hatte. Umgeben von Zäunen mitten im Nirgendwo. Er schaute auf ihre Knöchel, und auch sie trugen Fußfesseln. Jetzt waren auch sie offizielle Gefangene des Lagers. Er rannte die Treppe hinunter und fand seine Frau und seine Tochter mitten in der Menge.

"Was ist das für ein Ort?" Das war das erste, was seine Frau sagte.

"Es ist ein Lager."

"Was machen wir hier? Was machst *du* hier?"

"Nun, es ist ein Quarantäne-Lager."

“Aber warum ist es außerhalb der Stadt? Wir saßen stundenlang im Bus. Und die haben uns nicht einmal gesagt, wohin sie uns bringen? Sie haben uns wie Gefangene behandelt ...” Eine Stimme, die aus dem Lautsprecher kam, unterbrach ihr Gespräch. Doktor Zhang erkannte die Stimme. Es war derselbe Mann wie gestern: Kapitän Tu. Er befahl allen, das Hauptgebäude zu betreten und sich in der Haupthalle einzufinden.

“Kommt mit, in ein paar Minuten werdet Ihr Bescheid wissen.” Er ging voraus und führte Frau und Tochter in das Gebäude.

Kapitän Tu hielt eine ähnliche Rede. Während er alles erneut erklärte, hielt Doktor Zhang seine fünfjährige Tochter an der einen und seine Frau an der anderen Hand. Er beobachtete sie. Ihr Gesicht schien eingefroren. Sie starrte ihn mit weit aufgerissenen Augen an. Als die Rede des Kapitäns beendet war, löste sie ihre Hand von der ihre Mannes und wich ein paar Schritte zurück.

“Nein, das ist nicht wahr!” Ihre Augen wurden feucht und trübten ihre Sicht auf den Saal. Sie konnte Doktor Zhang kaum sehen.

“Es tut mir leid. So ist es. Ich wusste es bis gestern auch nicht, bis sie uns hierher brachten...” Er redete, aber sie hörte nicht, was er sagte. Seine Lippen bewegten sich, aber es kam kein Laut aus seinem Mund. Sie fühlte eine Leere in ihren Ohren und ihrem Kopf, als wäre sie unter Wasser. Doktor Zhang kam näher und umarmte sie. Er zog sie eng an seine Brust. “Es wird alles wieder gut. Vertrau mir.” Plötzlich brach sie in Tränen aus.

“Daddy, warum weint Mommy?”, fragte ihre gemeinsame Tochter. Sie schmollte und war kurz davor, ebenfalls zu weinen.

“Ich glaube, Mommy hat nur Kopfschmerzen, meine Süße. Wir bringen sie ins Bett, dann wird es ihr bald besser gehen”, antwortete Doktor Zhang.

Sie blieben noch einen Moment auf dem Flur stehen. Dann hatte sich die Frau des Arztes beruhigt. Sie blickte in das verängstigte Gesicht ihrer Tochter, die sie noch immer kritisch beäugte. Sie durfte ihre Verzweiflung doch nicht so vor ihrer Tochter zeigen. Doktor Zhang brachte sie in das Zimmer im vierten Stock, in dem er letzte Nacht geschlafen hatte. Seine Frau sprach nicht, sondern folgte ihm schweigend. Nur die Kleine stellte Fragen. “Daddy, warum sind wir hier? Wann fahren wir wieder nach Hause? Ich habe mein Fahrrad nicht mitnehmen können. Wer sind all diese Leute? Hier gefällt es mir nicht...”

Als sie das Zimmer betraten, versuchte Doktor Zhang, seiner Frau die Situation zu erklären. Sie weigerte sich, zuzuhören und zeigte auf ihre Tochter. “Später”, sagte sie.

Doktor Zhang nickte. “Okay, Ihr müsst müde sein, ruht euch ein bisschen aus. Ich werde versuchen, etwas zu essen für euch aufzutreiben. Schlaft ein bisschen, wenn Ihr könnt. Bestimmt habt ihr die letzte Nacht kein Auge zugemacht.”

~

Nachdem er seine Familie im Zimmer untergebracht hatte, ging Doktor Zhang zurück auf die Krankenstation. Da er der erste war, der dort anfing zu arbeiten, hatten ihn die anderen Krankenschwestern und Ärzte stillschweigend zum Leitenden erklärt. Das führte dazu, dass er die Station nicht allzu lange verlassen konnte. Zweifellos war dieser Ort der geschäftigste Teil des Lagers. Dort arbeiteten nun alle Krankenschwestern und Ärzte, die aus dem Krankenhaus ins Lager gebracht worden waren. Die Zahl der Bewohner, die Symptome zeigten, stieg stetig an. Sie hatten nicht genug Platz, um alle auf der Station unterzubringen. So schickten sie diejenigen mit leichteren Symptomen zurück auf ihre Zimmer und baten sie, nur dann wiederzukommen, wenn es ihnen schlechter ging. In der vergangenen Nacht waren bereits zehn Patienten gestorben. Auf Station konnten die Leichen nicht bleiben. Sobald Fen Doktor Zhang wieder auf der Station über den Weg lief, fragte sie ihn, wie mit den Leichen zu verfahren sei.

“Es gibt keinen Platz mehr in der Leichenhalle. Wir müssen sie so schnell wie möglich runter von der Station bringen. Wissen Sie, wer für das Begraben der Leichen zuständig ist?”, fragte sie ihn.

“Nein, aber ich werde es herausfinden.” Doktor Zhang hatte eine direkte Telefonleitung zu Kapitän Tu. Bereits an seinem ersten Tag auf Station, hatte sich der Kapitän auf dem einzigen Telefon im Lager, das sich in der Krankenstation befand gemeldet. Er forderte den Arzt auf, ihn in Notfällen direkt anzurufen. Das Telefon konnte nur mit einer Nummer verbunden werden - nämlich der des Überwachungsraums, von dem aus General Xiong und Kapitän Tu die Mission leiteten. Doktor Zhang griff zum Hörer, um Kapitän Tu über die aktuelle Situation zu informieren. In weniger als zehn Minuten wurden aus den Lautsprechern des Lagers die Namen der Bewohner aufgerufen, die für die Verbrennung der Leichen verantwortlich waren. Sie wurden aufgefordert, sich unmittelbar in die Krankenstation zu begeben.

Chen war in seinem Zimmer, als er die Durchsage hörte. Sein Name wurde, zusammen mit einigen anderen, aus dem Lautsprecher ausgerufen. Zunächst reagierte er nicht. Dann begann seine Fußfessel zu vibrieren. *Können sie überwachen, wo genau im Lager ich mich aufhalte?* fragte er sich. Die Vibration verursachte keine Schmerzen. Es war eher eine Art Erinnerung, die zunehmend mentalen Druck erzeugte. Nachdem er eine halbe Stunde lang Widerstand geleistet hatte, hielt er es nicht mehr aus. Die ständige Vibration erinnerte ihn daran, dass er jetzt ein Gefangener war und immer und überall überwacht wurde. Es rief ihm ins Gedächtnis, dass sie ihn zwingen konnten, zu tun, was sie wollten. Würde er ihre Befehle nicht befolgen, konnten sie ihm etwas antun. Es war die pure mentale Folter. Er ertrug diesen Zustand nicht mehr. Nur um die Vibration zu stoppen, ging er auf die Krankenstation.

Dort traf er auf Fen und Doktor Zhang. Er erinnerte sich daran, dass sie in demselben Wagen hierher gebracht worden waren. Er ging auf Fen zu. “Meine Aufgabe ist es, mich um die Leichen zu kümmern. Was soll ich tun?”, fragte er.

“Ah, du bist der Sportlertyp aus dem Van”, sagte Fen.

Chen war sich nicht sicher, ob sie versuchte, freundlich zu ihm zu sein oder ihn verhöhnte. Also sagte er zunächst kein Wort. Fen fuhr fort. “Gut, neben dir gibt es noch drei weitere Bewohner, die sich um die Leichen kümmern sollen. Ihr solltet euch zu zweit zusammentun und die Toten wegschaffen. Zwei haben schon angefangen, aber wir brauchen weitere Hilfe. Du kannst mit ihm hier zusammenarbeiten und den Rest der Leichen in Angriff nehmen." Sie zeigte auf einen Typen, der auf einer Bank auf der anderen Seite des Flurs saß.

Chen sah sich den Mann genauer an. Er war ebenfalls jung, groß und körperlich stark. Chen war sich sicher, dass dies der Grund dafür war, dass sie für diese Aufgabe ausgewählt worden waren. Nicht jeder im Lager war stark genug, um Leichen zu tragen. Er ging zu dem Mann hinüber. "Ich bin Chen. Anscheinend müssen wir zusammenarbeiten, um die Leichen herauszutragen", sagte er.

Der Mann hob den Kopf und sah zu ihm auf. Er war älter als Chen, vielleicht in den späten Dreißigern. Chen konnte ein paar graue Haarsträhnen an seinen Schläfen entdecken. "Du bist spät dran. Ich habe schon auf dich gewartet." Er schien eindeutig verärgert.

"Ähm ... also, hast du so was schon mal gesehen?", fragte Chen.

"Leichen? Nicht bis vor zwei Tagen. Ich bin Techniker einer Firma. Daher hatte ich noch nicht das Vergnügen Leichen vorgestellt zu werden.", sagte er sarkastisch.

"Weißt du, was wir genau zu tun haben?"

Der Mann überreichte Chen ein Papier, das auf dem Stuhl neben ihm lag. "Sie haben es uns leichter gemacht. Hier haben sie uns erklärt, was wir zu tun haben. Es sind genau dreizehn Schritte."

*Haben sie etwa eine Anleitung vorbereitet, wie man Leichen einäschert? Jemand muss alles, was hier gerade passiert, vorausgesehen haben. Die waren darauf vorbereitet,* dachte Chen.

Sie betraten die Leichenhalle. Die nasse, kalte Luft des Raumes ließ Chen frösteln. “Ich krieg’ das hin. Es gibt nichts, wovor man sich fürchten müsste. Diese Leute waren gestern noch am Leben. Es gibt nichts, wovor man sich fürchten muss. Jeden Tag sterben Menschen auf der Welt, und jeden Tag müssen sie von anderen begraben werden. Heute muss ich es tun.” Er murmelte diese Sätze ständig und wiederholte sie in seinem Kopf. Er konnte seiner Phantasie keinen freien Lauf lassen; er musste seine Gedanken unter Kontrolle halten. Sonst würde er es keine Minute mehr in diesem Raum aushalten. Er betrachtete den anderen Kerl an seiner Seite. Er schien in keinem besseren Zustand zu sein als Chen selbst. Sein Gesicht war blass, seine Lippen zitterten, und seine Augen waren von dunklen Ringen umgeben. Aber im Gegensatz zu Chen war der Typ damit beschäftigt, das Grauen in seinen Augen zu verbergen. Er setzte ein künstliches Lächeln auf, als ob nichts Ungewöhnliches vor sich ginge. Er berührte den Griff einer der Kammern und schaute Chen an.

“Soll ich?”, fragte er.

Dieser nickte. Der Mann öffnete die Kammer und zog eine lange Lade heraus. Darauf lag der Leichnam einer alten Frau. Ihre Haut und ihre Lippen waren völlig weiß. Gemeinsam legten sie die Leiche in den ersten Leichensack. Sie war nicht schwer. Sie verschlossen den Sack mit einem Reißverschluss und legten ihn beiseite. Die zweite Leiche gehörte zu einem jungen Mann. Dieser war vielleicht so alt wie Chen. Er betrachtete sich die Leiche. Sie war steif. Wahrscheinlich waren mehr als zwölf Stunden seit seinem Tod vergangen. Chen öffnete den dritten Kühlschrank und zog an dem Griff. Plötzlich schrie er auf. Die Augen und der Mund des Leichnams, der zum Vorschein kam, waren weit aufgerissen. Seine Knie begannen zu zittern. Dieser Raum, die dunkle Beleuchtung, die kalte Luft, die aus dem Kühlschrank zu kommen schien, überall gab es Anzeichen des Todes. Ihm wurde übel und er eilte aus der Leichenhalle, um die nächstgelegene Toilette zu suchen. Er konnte den Drang nicht bekämpfen, das wenige Essen, das er von gestern noch im Magen hatte, zu erbrechen. Sein ganzer Körper zitterte wie Espenlaub. Er spülte sich den Mund aus und betrachtete sich im Spiegel. Wie war er bloß hier reingeraten? Innerhalb von zwei Tagen hatte sich sein Leben komplett auf den Kopf gestellt. Selbst in seinen gruseligsten Albträumen hatte er nie auch nur annähernd das getan, was er in diesem Moment tun musste. Er wartete noch einige Minuten, aber es gab keinen Ausweg. Er konnte nicht hier bleiben! Er musste zurückgehen und weitermachen. Er schleppte sich in die Leichenhalle. Die Tür war geschlossen, und sein Kollege war nicht mehr da. Er ging zurück und fragte Fen, ob sie wusste, wo er war.

“Ich habe ihm mit der letzten Leiche geholfen. Er hat sie alle mit dem Aufzug nach unten gebracht und mich gebeten, dir zu sagen, dass du ihn unten am Transporter finden wirst”, antwortete Fen.

Chen fand seinen Partner im Transporter sitzend. Er wartete auf ihn. Die Leichensäcke lagen auf dem Boden neben dem Auto. Als Chen näher kam, schenkte ihm der Typ ein Grinsen. “Geht's dir besser, Kleiner?”

“Ja, der letzte hatte die Augen und den Mund offen. Ich ... ich habe das einfach nicht erwartet”, sagte Chen schnell. Aus welchem Grund auch immer, dachte er, er müsse sich für seine Schwäche erklären, die er gerade gezeigt hatte.

“Okay!”, antwortete er. “Jetzt hilf mir, sie in den Transporter zu packen. Bis jetzt haben wir die ersten drei Schritte der Anleitung hinter uns gebracht. Es fehlen nur noch zehn.” Wieder lächelte er.

*Was ist nur los mit ihm?* dachte Chen. *Warum tut er so, als wäre das hier ein normaler Arbeitstag für uns?* Er half dem Kerl, die Leichen in den Transporter zu legen. Sie mussten ein Stück fahren, bis sie das Ende des Lagers erreichten. Dort sollten sie die Leichen verbrennen und die Asche vergraben.

“Laut Anleitung soll es dort eine Art Krematorium geben. Mit fünf Löchern zur Verbrennung der Leichen”, erklärte ihm sein Kollege.

Chen nickte. “Löcher”, dachte er. Im normalen Leben würde niemand Einäscherungskammern als “Löcher” bezeichnen. Hier aber hatte niemand Zeit, auf die richtige Wortwahl zu achten. Das Krematorium war nichts weiter als ein kleiner Raum, mit gerade mal ausreichend Platz, horizontale Löcher in der Wand anzubringen. Sie holten die Leichen wieder aus den Säcken. Die dritte Leiche schaute sie nach wie vor mit weit aufgerissenen Augen an. Eine nach der anderen hoben sie die Leichen in die Kammern und zündeten sie an. Der Einäscherungsprozess würde in etwa zwei Stunden dauern.

Chen und sein Kollege warteten außerhalb des Gebäudes. Abgesehen von dem Flirren in der Luft, das über den Kammern zu sehen war, nahmen sie keinen Geruch oder Rauch wahr. Wenn man nicht wüsste, dass dort gerade drei Leichen brannten, konnte man nicht erahnen, was gerade vor sich ging. *Sie müssen Schichten von Filtern in die Kammern eingebaut haben, damit der Geruch nicht nach außen dringt.*

*Alles hier war so organisiert, dass das Grauen völlig vor der Außenwelt verborgen blieb,* dachte Chen. Sie mussten dort bis zum Ende des Vorgangs warten, um die Asche einzusammeln. Chen saß auf dem Boden am Rande des Weges zum Krematorium und betrachtete die Zäune, die sie vom Rest der Welt trennten. Nach einiger Zeit kam sein Kollege herüber und bot ihm eine Zigarette an.

"Nein, danke. Ich rauche nicht."

"Das hätte ich mir denken können. Du bist zu vornehm."

Der Mann zündete sich eine Zigarette an und setzte sich neben Chen. Er betrachtete den Mann. Dieser blickte auf das Krematorium. Sein Gesicht sah zerknirscht aus und er tat so, als hätte er mit all dem nichts zu tun. Chen sprach ihn an. "Woher hast du die? Gibt es die zusätzlich zum Essen?"

"Nein, natürlich nicht. Ich habe mir die Packung vor zwei Tagen im Krankenhaus gekauft. Wenn die leer ist, habe ich keine mehr."

Chen sah sich das Päckchen an. Es waren noch fünf übrig. "Also müssen sie sehr wertvoll für dich sein. Warum hast du mir eine angeboten?"

"Nach allem, was dir heute passiert ist, dachte ich, du könntest ein bisschen Entspannung gebrauchen. Jedenfalls wirkst du noch sehr jung auf mich; wie alt bist du?"

"Neunzehn. Ich bin also erwachsen, technisch gesehen."

"Ja, natürlich bist du das." Der Mann lächelte und verstummte.

Chen war neugierig auf ihn geworden. Er schien viel weniger besorgt darüber zu sein, was hier vor sich ging. “Also, warum bist du hier? War jemand aus deiner Familie im Krankenhaus?”

“Nein, ich habe dort für eine Firma gearbeitet, die medizinische Geräte verkauft. Ich war im Krankenhaus, um eines unserer Produkte zu installieren, als sie uns plötzlich schnappten und hierher brachten. Ich ahnte, dass etwas im Krankenhaus nicht stimmte. Besonders nachdem sie uns alle in die Haupthalle gerufen hatten. Ich hätte diesem Befehl nicht Folge leisten sollen. Andererseits wusste ich ja nicht, dass sie uns entführen. Ich hätte aus dem Krankenhaus fliehen können, aber ich bin dem Befehl gefolgt.”

“Fliehen? Wie das denn? Es waren so viele Soldaten in und um das Krankenhaus herum.”

“Nun, ich war im Keller, als sie uns in die Halle riefen. Ich hätte einfach dort bleiben sollen. Wenn ich geahnt hätte, was sie mit uns vorhaben würden. Ich war dumm, so dumm! Alle Anzeichen deuteten darauf hin, dass etwas nicht stimmte.” Aus seiner Stimme kam ein tiefes Gefühl des Bedauerns. “Wie auch immer, was ist mit dir? Warum warst du dort?”

“Ich sollte meinen Mannschaftskameraden aus dem Krankenhaus abholen. Aber ich konnte ihn nicht finden. Im Krankenhaus gab es ein einziges Durcheinander, als ich dort ankam.”

“Welches Team?”

“Tischtennis. Ich bin Mitglied der Nationalmannschaft - der Jüngste, erst ganz neu dabei.”

“Oh, wirklich?” Endlich konnte Chen das Lächeln auf dem Gesicht des Mannes erkennen. “Du willst mir sagen, dass du so gut spielst, dass sie dich für die Nationalmannschaft ausgewählt haben?”

Chen lächelte nun ebenfalls. “Ja, wirklich. Wenn wir hier einen Tisch und Schläger hätten, könnte ich es dir beweisen.”

Der Mann klopfte ihm sanft auf den Rücken. “Das ist klasse, Mann. Ich liebe es, Tischtennis zu gucken. Ihr Jungs seid wirklich schnell und stark. Ich würde euch gerne mal beim Spielen zusehen.”

Sobald der Mann das sagte, spürte Chen einen tiefen Schmerz tief in seiner Brust. Er wusste nicht, wann er das nächste Mal einen Schläger in der Hand halten würde. “Ich würde gerne noch ein einziges Mal spielen”, seufzte Chen.

Als die Verbrennung beendet war, gingen Chen und sein Mitarbeiter zurück, um das einzusammeln, was von den Leichen übrig geblieben war. Auf den Schubladen, wo vor zwei Stunden noch ganze Körper gelegen hatten, befand sich jetzt nur noch ein Haufen poröser Knochen. Während sie diese herausholten, zerfiel auch noch dieser Rest zu Pulver. Nach dem letzten Schritt des Protokolls mussten sie die Asche zusammen auf dem Feld hinter dem Krematorium vergraben. *Die Asche sämtlicher Leichen musste zusammen in einem Loch begraben werden, ohne dass auch nur das Geringste übrig blieb.* Chen und sein Kollege befolgten das Protokoll bis zum bitteren Ende. Eine halbe Stunde später gab es keine Leichenspuren mehr. Die Menschen, die noch vor wenigen Tagen ein normales Leben geführt hatten, waren nun verschwunden. Abgegeben an die Luft und in den Boden. Niemand würde sie hierher zurückverfolgen können. Und das Schlimmste war, dass jeden Moment jeder von ihnen das gleiche Schicksal erleiden konnte.

In der folgenden Nacht wachte Chen aus einem Albtraum auf. Der dritte Leichnam, der mit den offenen Augen versuchte sich aufzusetzen, als Chen ihn in die Einäscherungskammer legen wollte. Chen versuchte, aus dem Gebäude zu rennen und seinen Kollegen zu finden, um ihn davon abzuhalten, die Kammer anzuzünden. Aber er spürte, dass sich sein Körper nicht in Bewegung setzte. Er wollte schreien, aber kein Ton entwich seinem Mund. Er wachte mit kaltem Schweiß auf seiner Stirn auf. Sein Herz raste. Er konnte kaum atmen. Für ein paar Sekunden wusste er nicht, wo er war. Sein Körper fühlte sich taub an. Er saß eine Weile auf dem Bett und überzeugte sich, dass alles nur ein fürchterlicher Albtraum gewesen war. Das Gesicht des Mannes mit den offenen Augen war so lebendig in seinem Kopf gewesen, besonders in dem Moment, als er ihn in die Kammer legen wollte. Chen fürchtete sich davor, wieder einzuschlafen. Er wollte nicht noch einmal auf das Gesicht des toten Mannes treffen. Er wollte nicht noch einmal die Ohnmacht und Taubheit erleben, wenn er versuchte, um Hilfe zu schreien. In seinem Zimmer gab es nichts, womit er sich ablenken konnte. Nach Mitternacht durfte er auch das Hauptgebäude nicht mehr verlassen. Er hielt sich den Rest der Nacht wach, indem er seinen Kopf immer wieder leicht gegen die Wand schlug. Er lernte, dass körperlicher Schmerz ein nützliches Mittel sein konnte, um ihn am Einschlafen zu hindern.

# 7

Es war Ende der ersten Woche ihres Aufenthalts im Lager. Jeden Tag arbeitete Lin bis zum Mittag in ihrem Team und gab das Essen aus. Am Morgen mussten sie den Wagen mit dem Essen entladen und die Gerichte mittags an die Bewohner verteilen. Der Essenswagen war ihre einzige Verbindung zur Außenwelt, denn auch während der täglichen Prozedur bekam Lin nie jemanden von außerhalb zu Gesicht.

Das junge Mädchen empfand es als Glück, dass sie in der Lebensmittelausgabe eingeteilt worden war. Einmal schrieb sie in ihr Tagebuch: "Der LKW kommt jeden Tag pünktlich. Nicht früher, nicht später, genau pünktlich. Wenn ich den Lastwagen sehe, habe ich das Gefühl, dass das Leben außerhalb des Lagers weitergeht wie bisher. Morgens kann ich mir meine Klassenkameraden in der Schule vorstellen. Während ich hier im Lager das Essen ablade, sitzen sie in ihrem Klassenzimmer an ihren Tischen. Ich versuche mich an meinen Stundenplan zu erinnern. Heute ist Mittwoch; da hatten wir Mathe in der ersten Stunde. Ich weiß wirklich nicht, an welchem Ort die Zeit langsamer vergeht. Hier oder während des Matheunterrichts? Jeden Tag pünktlich um dieselbe Zeit den Essenswagen in Empfang zu nehmen, gibt mir die Hoffnung, dass die Welt immer noch da ist, wenn wir eines Tages hier rauskommen, um uns wieder in sich aufzunehmen."

Jeden Tag parkte der LKW rückwärts neben einem der kleineren Tore. Das Tor war so gebaut, dass es genau die Größe der Hintertür des LKWs hatte. Das Tor und das Lkw-Fach konnten sich miteinander verbinden. Der Laster dockte an und rastete mit einem Klicken ein. So entstand ein versiegelter, einseitiger Tunnel, der nur zum Lager hin offen war. Lin und ihre Mitstreiter durften das Lkw-Lagerfach betreten, um die Lebensmittel herauszunehmen. Sie erhielten aber keinen Blick auf den Fahrer oder darauf, wie viele Personen sich um den Lkw herum aufhielten. Während Lin und ihre Kollegen den LKW leerten, standen die Soldaten auf dem Turm, der dem Tor am nächsten lag. Sie hielten dort Wache und die Gewehre bereit. Bereit zu schießen, falls einer der Bewohner etwas anderes vorhatte, als das Essen auszuladen. Nachdem sie den Lastwagen geleert hatten, mussten sie zurück ins Gebäude, und das Tor schloss sich automatisch. Kurz darauf konnten sie hören, wie der Lastwagen wegfuhr und sich immer weiter vom Lager entfernte. Lin mochte diesen Teil ihrer Arbeit. Zumindest für ein paar Stunden hatte sie körperlich etwas zu tun, was sie beschäftigte, und sie auf andere Gedanken brachte.

Nachdem sie das Essen ins Hauptgebäude gebracht hatten, lagerten sie es in einer der Ecken der Versammlungshalle. Anschließend stellten sie zwei oder drei Tische in einer Reihe auf, auch um das Essen von der Menge zu trennen. Sie machten eine Straße frei, damit sich alle in einer

Schlange anstellen konnte. Diesen Teil des Tages hasste Lin. Nicht, weil er kompliziert oder gefährlich war oder weil sie befürchten musste, sich mit dem Virus anzustecken. Sie hasste ihn, weil sie jeden Tag auf den unheimlichen Mann traf, der sie so anzüglich angesprochen hatte, als sie auf Zimmersuche gewesen war. Lin hatte das Gesicht des Mannes nicht vergessen, und offenbar erinnerte auch er sich sehr gut an das junge Mädchen. Sie war zu seiner Zielscheibe geworden. Jeden Tag gehörte er zu den Ersten, die in der Halle auftauchten. Lin und ihre Mitstreiter standen hinter den Tischen, bereit das Essen auszuteilen. Der Mann wartete meist eine Weile, bis er sich einreihte. Er stand immer in der Ecke des Raumes und starrte Lin an. Das machte sie sehr nervös. Ihr Herz schlug hart in ihrer Brust. Ihre Hände schwitzten und begannen zu zitterten. Sie bemühte sich, den Kopf unten zu halten und sich nicht umzusehen. Sie hatte Angst, den Kerl dabei zu erwischen, wie er sie anstarrte. Während der gesamten Zeit, in der sich der Mann im Raum aufhielt, schwieg Lin. Sie fürchtete, die anderen könnten ihre zittrige Stimme bemerken. Sie hatte Angst, dass man anhand ihrer Stimme den Stress erkennen konnte, den sie gerade aushalten musste.

Außer Lin achtete niemand im Raum auf das ungewöhnliche Verhalten des Mannes. Er war schlau genug, sich in einem toten Winkel der Kameras aufzuhalten. Der Rest war zu sehr damit beschäftigt, an das Essen zu gelangen. Jeder wollte den Raum so schnell wie möglich verlassen, um Kontakt mit anderen zu vermeiden. Nach einiger Zeit reihte sich der Mann in die Schlange ein und kam langsam auf sie zu. Immer wenn er sein Essen entgegennahm, holte er zu einem ekelerregenden Spruch in ihre Richtung aus. Manchmal war es schwer für Lin, nicht darauf zu reagieren.

Sie bemühte sich, ihre immense Wut, den Scham und die Schwäche, die sie beim Anblick des Mannes empfand zu verbergen. Selbst wenn er weg war, wirkten Lins Gefühle noch lange nach. Das Schlimmste war, dass sich dieses Spiel Tag für Tag wiederholte und dass es für Lin im ganzen Lager keine Möglichkeit gab, diesem Kerl zu entkommen.

An diesem Tag jedoch stand Chen hinter dem Ungetüm in der Schlage und bekam mit, wie er Lin beleidigte. Wie üblich reagierte Lin nicht. Als Chen an der Reihe war, sein Essen zu holen, sprach er sie an.

“Sag mal, hast du nicht mitbekommen, was der Kerl gerade gesagt hat?”

Lin schüttelte den Kopf. Sie schämte sich immer noch und hatte Angst. “Nein, das habe ich nicht.”

Chen wollte die Sache nicht auf sich beruhen lassen. “Ich habe ihn etwas sagen hören. Es war wirklich ziemlich unhöflich. Du warst ihm näher. Wie konntest du das überhören?”

“Oh bitte, Chen. Er ist verrückt. Ich will mir das nicht anmerken lassen. Ich habe Angst, dass er etwas Schlimmeres tut, wenn ich ihn provoziere. Ignoriere ihn bitte und geh' weiter”, antwortete Lin.

Die Menschen in der Schlange wurden langsam ungeduldig und beschwerten sich bei Chen. Sie forderten ihn auf, das Gespräch zu beenden und weiterzugehen. Er fügte sich und ließ die Angelegenheit fürs Erste auf sich ruhen. “Okay, wie Du meinst”, sagte Chen. Er nahm sein Essen entgegen, suchte sich eine Ecke in der Halle und aß dort. Er wartete bis alle in der Schlange ihr Essen erhalten hatten und Lin nichts mehr zu tun hatte. “Hey, ich weiß, es geht mich nichts an, aber wenn er dich wieder belästigt, solltest du ihn melden."

"Danke, dass du so aufmerksam bist, Chen. Ich hoffe einfach, dass er es irgendwann Leid ist und mich in Ruhe lässt. Ich will keine Probleme verursachen. Jeder hat hier schon genug um die Ohren."

"Okay, aber wenn du deine Meinung änderst, lass' es mich wissen. Ich kann ihn mir gerne vorknöpfen."

"Danke, das ist wirklich nicht nötig. Mach' dir keine Gedanken." Lin griff nach einen großen Korb mit mehreren Essensboxen. "Ich muss auf die Krankenstation, um dem Pflegepersonal Essen zu bringen. Hast Du Lust, mit mir zu kommen?" Lin setzte ein vages Lächeln auf.

"Ja, ich muss sowieso dorthin. Mein Kollege und ich haben die Nachmittagsschicht", antwortete Chen und nahm eine Seite des Korbes, um Lin zu helfen.

"Ich weiß, deshalb habe ich ja gefragt", antwortete Lin.

Jetzt lächelte auch Chen.

An den Nachmittagen half Lin auf der Krankenstation aus. Dort hatten sie immer einen Mangel an Personal, die helfen und sich um die Patienten kümmern konnten. Fen lehrte sie einige Grundlagen in der Pflege von Patienten. Schließlich gab es nur wenige Krankenschwestern im Lager, und jeden Moment konnten auch sie Symptome entwickeln und nicht mehr in der Lage sein, ihre Aufgaben zu erfüllen. Sie brauchten mehr Krankenschwestern, um sich um die immer größer werdende Zahl an Patienten zu kümmern. Die ersten Tage mit Lin auf Station gestalteten sich für Fen schwierig. Lin weinte noch immer sehr schnell, wenn sie einen Patienten mit enormen Schmerzen oder mit Atemproblemen sah. Sie war zu sensibel für soviel Leid und Tod.

Aber es gab eine Sache, die ihre Stimmung sofort anhob. Immer dann, wenn Chen auf Station kam, um Leichen abzuholen, stellte Lin sicher, dass sie in seiner Nähe sein konnte, um mit ihm zu reden. Selbst wenn es nur ein paar Worte waren. Am Anfang ging es nur um eine kurze Begrüßung. Aber schon nach wenigen Tagen nahm sie all ihren Mut zusammen und bat Chen um ein gemeinsames Abendessen. Für Chen war das ein Segen. Je weniger er allein in seinem Zimmer saß, desto weniger Zeit hatte er, über die Leichen nachzugrübeln, die er tagtäglich verbrennen musste. Dabei sprachen sie nie über ihren Alltag im Lager. Die meisten ihrer Unterhaltungen drehten sich um ihr früheres Leben. Es war, als hätten sie einen Schalter im Kopf, der sie daran hinderte, über das zu sprechen, was um sie herum geschah. Lin fragte Chen nie, wie er die Leichen einäscherte, und Chen fragte Lin nie nach den sterbenden Patienten auf der Krankenstation. Ihre Gespräche sollten sich nicht um den Tod drehen.

Fen war die erste Person, die bemerkte was sich zwischen Lin und Chen anbahnte. Sie freute sich für das junge Mädchen. Die ersten Tage war Lin sehr deprimiert gewesen. Sie hatte gerade ihre Mutter verloren und keine Familie oder Freunde im Lager. Fen war ihr einziger Bezugspunkt. Das war auch der Grund, warum sie ihr das “Du” angeboten hatte. Jeden Abend, wenn Fen zurück ins Zimmer kam, weinte Lin. Seit Kurzem aber hörte sie Lin mit Chen reden und manchmal sogar lachen. Lin wusste, dass Fen von ihrer Schwärmerei für Chen wusste. Also beschloss Lin eines Abends, mit Fen darüber zu sprechen.

“Was hältst du von Chen?” fragte Lin.

Fen tat so, als tappe sie im Dunkeln. “Er ist nett”, antwortete sie. “Ehrlich gesagt, weiß ich nicht, wie er das schafft: der tägliche Umgang mit all den Toten. In seinem früheren Leben hat er noch nie eine Leiche zu Gesicht bekommen, und jetzt muss er sie jeden Tag einäschern.”

“Nein, ich meine, was denkst du über seine Persönlichkeit?” Lin beharrte ungeduldig.

“Ich kenne ihn nicht allzu gut, aber er scheint mir ein feiner junger Mann zu sein”, antwortete Fen.

“Ich mag ihn. Er ist der einzige in diesem Lager, mit dem ich über unser früheres Leben sprechen kann. Er spricht einfach nie über das Virus. Er sagt, wir können das Lager bald verlassen.”

“Hey Lin, ich freue mich sehr für dich, dass du ihn sympathisch findest, aber sei vorsichtig. Mach dir keine falschen Hoffnungen. Selbst wenn wir diese Krankheit überleben, werden wir noch eine lange Zeit hier bleiben müssen. Versuch’ einfach, das Zusammensein mit ihm zu genießen, anstatt von etwas zu träumen, von dem wir nicht genau wissen, ob es jemals eintreten wird.”

Plötzlich brach Lin in Tränen aus. “Glaubst du, dass wir hier alle sterben müssen? Und unsere Familien und unser Zuhause nie wieder sehen werden? Nein, nein, das will ich einfach nicht glauben.”

Traurig schaute Fen auf all die Tränen, die in Lins Augen aufstiegen. Ihre Brust fühlte sich schwer wie Blei an. Sie wischte Lin die Tränen aus dem Gesicht und setzte sich neben sie. Wie gerne würde sie ihr die nötige Hoffnung machen, ihr sagen, dass sie bald nach Hause gehen könnten. Aber das durfte sie nicht, und das verursachte ihr noch mehr Schmerz. Die Chance, dass sie überleben und wieder ganz normal leben würden, war sehr gering. Sie sagte nichts, sondern nahm Lins Hand in ihre. Für Fen wurde Lin wie ihre jüngere Schwester, die sie so sehr vermisste.

In den ersten zehn Tagen starben über hundert Menschen, fast ein Fünftel der Bewohner des Lagers. Jeden Tag brachen einige von ihnen, denen es am Vortag noch recht gut gegangen war, plötzlich zusammen und mussten auf die Krankenstation verlegt werden. Einige von ihnen hatten etwas mehr Glück und nach ein oder zwei Tagen ging es ihnen besser. Sie durften die Station wieder verlassen. Den meisten von ihnen ging es jedoch zunehmend schlechter und sie starben innerhalb weniger Tage. Diejenigen, die noch gesund waren, lebten in ständiger Angst, sich mit dem Virus anzustecken. Ein dunkler Schatten von Krankheit und Tod umgab sie alle ununterbrochen. Es gab keine Möglichkeit zu entkommen. Es war lediglich eine Frage der Zeit, bis sich hier alle infiziert hatten. War man hier mit der ganzen Familie eingesperrt, wusste man nie, wann der letzte gemeinsame Moment mit dem geliebten Menschen gekommen war. Keiner wusste, wer von ihnen als Erster sterben würde. Für diejenigen, die allein und ohne Familie im Lager waren, lag die Sache anders. Sie hatten keine Ahnung, wie es ihren Familienangehörigen erging und keine Möglichkeit, sie zu kontaktieren. Ihre Familien dachten, sie wären tot, und die schreckliche Wahrheit war, dass das jeden Moment auch so eintreten konnte.

Schlimm wurden die Momente für die Bewohner, wenn sich jemand, den sie kannten, krank fühlte und auf die Krankenstation gebracht wurde. Es bedeutete, dass sie selbst wahrscheinlich bereits infiziert waren und ebenfalls bald die Symptome entwickeln würden. Der Tod schien noch nie so nah gewesen zu sein. Jeden Tag konnten sie die Leichensäcke sehen, die aus der Krankenstation ins Krematorium gebracht wurden, um dort verbrannt zu werden. Einige von ihnen machte diese tägliche Abfuhr der Leichen richtig besessen. Sie saßen am Haupteingang des Gebäudes und zählten die Leichensäcke, die die Krankenstation täglich verließen. Sie waren die Messzahl des Lagers. Die schreckliche Zahl der täglichen Todesfälle, verbreitete sich unter den Bewohnern und vergrößerte Angst und Unruhe unter ihnen allen.

Angst ist ein starkes Gefühl. Je länger sie vorherrscht, desto beeinträchtigter ist der Mensch in seiner Fähigkeit, logisch zu denken. Jemand, der in permanenter Angst lebt, wird mit der Zeit nur noch schlimme und fatale Entscheidungen treffen können. Meint man, dass so jemand alles tun wird, um am Leben zu bleiben, ist das eine Fehleinschätzung. Eine Zeit lang gelingt das vielleicht, aber langfristig wird dieser Mensch alles tun, um die Angst auszuschalten, auch wenn das bedeutet, das eigene Leben zu beenden. Manchmal scheint der Tod angenehmer als ein Leben in ständiger Angst.

Ähnliches geschah im Lager. Je mehr Tage vergingen, desto tiefer bohrten sich Gefühle wie Wut und Verzweiflung in die Köpfe der Lagerbewohner. Jeden Tag die wachsende Zahl von Todesfällen zu beobachten, ließ die meisten von ihnen glauben, dass sie gerade die letzten Tage ihres Lebens erlebten. Die Bewohner reagierten unterschiedlich darauf.

Einige hofften noch, sich nicht mit dem Virus anzustecken. Diese Menschen isolierten sich in ihren Zimmern und kamen nur einmal am Tag heraus, um ihr Essen zu holen. Die Angst war ihnen am deutlichsten in die Augen geschrieben. Sie verbrachten keine Zeit mit anderen oder sprachen mit irgendjemandem. Sie irrten wie Geister, durch die Gänge des Lagers, tauchten auf und verschwanden, ohne eine Spur zu hinterlassen. Das Problem war, dass diese Menschen nichts hatten, womit sie sich beschäftigen konnten. Sie saßen stundenlang in ihren vier Wänden und taten nichts. Einige von ihnen entwickelten eine Paranoia gegenüber dem Essen, das ihnen ausgeteilt wurde. In ihrem Denken schien alles, was außerhalb ihres Zimmers stattfand, potenziell kontaminiert. Bald kamen sie gar nicht mehr aus ihren Zimmern. Am Ende der zweiten Woche gab es den ersten Hungertoten. Anderen ging es mental zunehmend schlechter. Es war häufig zu beobachten, wie sie mit sich selbst sprachen und weinten, wenn sie durch die Korridore schlichen.

Eine weitere Gruppe zeigte ihre Verzweiflung in Form von Gewalt. Die wachsende Zahl an Auseinandersetzungen und Schlägereien unter den Bewohnern machte deutlich, dass sie angesichts der ständigen und tödlichen Bedrohung zunehmend dünnhäutiger wurden. Was hält einen noch davon ab, sich gegen all die Regeln und Zwänge aufzulehnen, wenn man glaubt, dass man in naher Zukunft sterben wird? Die Menschen dieser Gruppe schrieen in den Gängen, verfluchten die Soldaten, Kapitän Tu und sogar Gott - zumindest diejenigen, die an einen solchen glaubten - dafür, dass sie im Lager gefangen waren. Die meiste Zeit über ignorierten Kapitän Tu und seine Soldaten diese Menschen. In dem Moment aber, wo sie einen Kampf anfingen oder gewalttätig gegen andere wurden, mussten sie eingreifen. In diesem Fall setzten sie die Elektroschocks als Bestrafung ein. Während das die Probleme für eine kurze Zeit löste, machte es die Masse mit der Zeit nur noch wütender. Es erinnerte sie daran, dass sie nicht nur gegen das Virus, sondern auch gegen die im Lager agierenden Soldaten machtlos waren.

Die Todesangst und Verzweiflung, die sich in den ersten zwei Wochen unter den Bewohnern angestaut hatte, brach sich an einem kühlen Morgen ihren Bann, als eine Gruppe von Bewohnern beschloss, auf das Haupttor des Lagers zuzumarschieren. Die Idee, gegen all das zu protestieren, war bereits seit einer Woche in Gesprächen unter den Bewohnern herum gewabert. Die Diskussionen zu diesem Thema fanden um die Mittagszeit statt, als die meisten von ihnen in der Halle versammelt waren, um ihr Essen zu erhalten.

"Wir haben doch keine andere Wahl! Die einzige Macht, die wir haben, ist gegen ihr unfaires Verhalten vorzugehen. Wenn genug von uns zum Tor marschieren, können sie uns nicht ignorieren. Sie müssen auf uns hören. Sie haben keinen Grund, uns hier zu behalten; sie können uns in ein Krankenhaus in der Stadt verlegen. Wir haben doch hier nichts falsch gemacht." Ein Mann mittleren Alters stand in der Mitte des Saals und forderte die übrigen Bewohner auf, sich ihn bei dem Marsch anzuschließen.

Die erste Person, die sich zu dem Mann gesellte, war eine Frau. Sie stand dicht neben dem Mann und begann zu sprechen. Ihre Stimme war laut und ungewöhnlich tief für eine Frau. "Ja, wir können nicht mehr schweigen. Zumindest müssen sie uns Kontakt zu unseren Familien aufnehmen lassen. Ich habe zwei kleine Mädchen. Ich will nicht, dass sie glauben, ich sei tot. Ich will bis zum letzten Moment mit ihnen reden. Ich will ihnen sagen, dass ich noch lebe."

"Sie hat Recht! Selbst wenn sie uns hier behalten wollen, müssen sie uns mit unseren Familien außerhalb des Lagers in Kontakt treten lassen. Warum verstecken sie uns vor der Öffentlichkeit? Selbst wenn sie recht haben und wir eine tödliche Krankheit haben, sollte der Rest der Bevölkerung davon wissen. Alle sollten wissen, was das allgemeine Leben bedroht. Auch diese Menschen sollten in der Lage sein zu entscheiden, wie sie sich schützen können."

Am Anfang schenkte ihnen niemand die nötige Beachtung. Die Angst vor den allgegenwärtigen Gewehren war viel größer als vor einem unsichtbaren Virus. Aber als die Frustration wuchs, kamen immer mehr Menschen zu der Überzeugung, dass der Tod durch eine Schrotflinte innerhalb einer Sekunde viel besser klang als das langsame Dahinsiechen in einem Bett auf der Krankenstation. Wenn es im selben Ergebnis endete. Viele von ihnen wussten, dass ihr Protest wahrscheinlich zu keiner positiven Veränderung führen würde. Es ging ihnen nicht nur um das Erreichen eines Ziels. Es war die Möglichkeit, sich selbst davon zu überzeugen, dass sie nicht völlig machtlos waren, dass sie noch lebten und in der Lage waren, eigene Entscheidungen zu treffen.

Als die Tage vergingen, beteiligten sich immer mehr Bewohner an den Mittagsdiskussionen. Wann sollte der Marsch organisiert werden, was waren ihre Forderungen, wie viele Freiwillige benötigten sie, um die Aufmerksamkeit der Soldaten und des Kapitäns auf ihre Bedürfnisse zu lenken? Jeden Tag gelang es ihnen, weitere Bewohner zu überzeugen, sich dem Protest anzuschließen. Eine Woche später hatten sie genug Freiwillige zusammen, um den Protest in Angriff zu nehmen. Sie planten, sich täglich am Eingang des Hauptgebäudes zu versammeln, Richtung Tor zu marschieren und ihre Forderungen vorzutragen. Solange, bis zumindest einige von ihnen akzeptiert wurden.

Am ersten Tag, einem kalten Morgen im Spätsommer, versammelten sich in weniger als zehn Minuten über fünfzig Männer und Frauen. Einige von ihnen brachten ihre Kinder mit. Vom Eingang des Gebäudes ging es auf das Haupttor zu, wobei sie wie geplant laut ihre Forderungen riefen. Manche entschlossen, manche aufgeregt, manche nervös.

“Was zum Teufel ist da draußen los?” Kapitän Tu schnaufte ungehalten. Er saß im Überwachungsraum und beobachtete die wütende Menge. Er griff zum Lautsprecher und begann, Warnungen auszusprechen. “Gehen Sie sofort zurück in das Gebäude! Wir haben die Befugnis zu schießen. Jeder, der sich dem Tor nähert, wird erschossen. Für Frauen und Kinder wird es keine Ausnahme geben. Gehen Sie zurück zum Hauptgebäude!”

Während er die Warnungen aussprach, wurden die Stimmen der Bewohner immer lauter und lauter.

“Wir wollen mit unseren Familien sprechen.”

“Jeder sollte wissen, dass Sie uns hier mit Gewalt festhalten.”

“Wir sind keine Labortiere. Sie können uns nicht in Käfigen halten.”

Der Kapitän war außer sich. “Sind die verrückt geworden? Niemand darf wissen, dass sie hier sind”, rief er den Soldaten zu. Sie starrten ihn an und warteten auf seine Befehle. Er ging zügig durch den Raum und murmelte vor sich hin. Offenbar beriet er sich mit sich selbst. Er konnte nun General Xiong kontaktieren, um einen Befehl zu erhalten. Aber Kapitän Tu wusste, dass General Xiong nicht ganz bei der Sache war. Er hatte schon einmal Schwäche gegenüber den Bewohnern gezeigt. Die Wahrheit war, dass Kapitän Tu nicht wusste, warum General Xiong ausgewählt worden war, diese Mission zu leiten. Jeder wusste, dass er immer für friedliche Lösungen eintrat. Dieser Kampf gegen das Virus aber brauchte die härtesten Generäle des Militärs. Die mögliche Ausbreitung dieses Virus in der Bevölkerung war die größte Gefahr, der sie je begegnet waren. *Nein, ich kann nicht zulassen, dass Xiong mein Land mit seiner Schwäche gefährdet,* dachte er. Außerdem hatte Kapitän Tu die Erlaubnis, so zu handeln, wie er es für richtig hielt, wenn eine Bedrohung unmittelbar bevorstand. Fünfzig Einwohner, die so nahe am Haupttor protestierten, waren eine unmittelbare Gefahr. Er blickte zu einem der Soldaten und gab den Befehl. “Elektroschocks! Setzen Sie jeden außer Gefecht, der sich auf das offene Gelände zubewegt!”, befahl Kapitän Tu.

“Auch die Kinder?”, fragte der Soldat.

“Ja. Wenn wir es einmal richtig durchziehen, werden sie diesen Schlamassel nicht noch einmal wiederholen”, antwortete er.

Sobald die Schocks angewendet wurden, fielen einzelne aus der Menge auf die Knie und schrieen vor Schmerzen laut auf. Der Bereich vor dem Hauptgebäude war mit den

Körpern der Demonstranten überschwemmt. Sie schleppten sich über den Boden, weinten, schrieen und flehten Kapitän Tu an, die Schocks zu beenden.

Fen und Doktor Zhang beobachteten die Szene aus dem Fenster der Krankenstation im ersten Stock. Von dort sahen die Körper wie Würmer aus, die sich im Schlamm wälzten und sich ekstatisch in alle Richtungen bewegten.

“Sie haben also mit ihrer dummen Idee weitergemacht? Sie hätten ahnen müssen, dass sie keine Chance haben. Wenn Kapitän Tu gewollt hätte, dass die Leute außerhalb des Lagers von uns wissen, hätten sie uns bestimmt nicht mitten in der Nacht entführt und an diesen einsamen Ort gebracht”, sagte Doktor Zhang und zitterte vor Wut. Er war selten aufgebracht. Fen war jedoch nicht klar, ob er auf die Demonstranten, Kapitän Tu, auf beide oder sogar auf sich selbst wütend war, weil er die Gerüchte ignorierte und nicht versucht hatte, die Demonstranten zu stoppen.

“Ja, es war töricht. Aber ich mache ihnen keine Vorwürfe. Mit jedem Tag, der vergeht, stirbt ein weiteres Stückchen Hoffnung in ihnen. Sie sind gezwungen zu glauben, dass die meisten von ihnen sterben werden. Ohne dass sie etwas anderes als dieses Lager gesehen haben. Nichts was ihnen vertraut ist, niemanden, den sie lieben. Es ist nicht leicht. Wenigstens haben sie etwas getan, statt sich kampflos zu ergeben”, flüsterte Fen, während ihr eine Träne über die Wange rollte.

“Ich gehe nach unten, um ihnen zu helfen. Ich nehme noch ein oder zwei Krankenschwestern mit. So können wir wenigstens ihre Schmerzen lindern.”

Doktor Zhang schaute den Demonstranten nach wie vor zu. Plötzlich fiel ihm der offensichtliche Anführer ins Auge. Der Mann versuchte mehrmals aufzustehen, aber seine Beine schienen taub, und er fiel gleich wieder hin. Schließlich begann er zu krabbeln. Er bewegte sich langsam, aber seine Richtung war eindeutig: Er wollte in Richtung Tor! *Hat der den Verstand verloren? Sie werden ihn erschießen,* dachte Doktor Zhang. Der Lautsprecher warnte den Mann, sich dem Tor nicht weiter zu nähern. Dieser achtete nicht darauf. Seine Arme bewegten sich blitzschnell und zogen den gesamten Körper unverrichtet auf das Tor zu. “Was erwartet er? Dass die Soldaten Mitleid mit ihm haben und ihn rauslassen?” Doktor Zhang rannte auf die Treppe zu. Er musste den Kerl aufhalten. Das war purer Selbstmord. Er stürzte die Treppe hinunter, sprang und nahm drei Stufen auf einmal. Er war am Eingang des Gebäudes, als er die Gewehre feuern hörte. Ein... zwei... drei Schüsse. Dann war es totenstill. Für ein paar Sekunden verstummten die Schreie und Rufe der Menschen. Alle blickten in die Richtung, aus der die Schüsse gekommen waren. Der Mann lag auf dem Boden und bewegte sich nicht mehr. Die Soldaten standen mit ihren Gewehren im Turm und starrten hinunter.

Doktor Zhang rannte auf den Mann zu. Er hob die Hände und schrie: “Ich bin Doktor Zhang; ich will ihm nur helfen.” Er trat näher heran. Sie hatten alle Schüsse auf seine Brust gerichtet. Er blutete stark. Doktor Zhang überprüfte den Puls. Er war schwach. Der Arzt und Fen brachten ihn auf die Krankenstation. Aber sie konnten nichts mehr für ihn tun. Eine Stunde später starb er. Auf einem Bett der Krankenstation. Es war genau das geschehen, was er versucht hatte zu vermeiden.

# 8

"Haben Sie befohlen, den Mann zu töten?" Wütend brüllte General Xiong seinen Kapitän an.

"Ja, Sir. Er war zu nah am Tor. Ich konnte nicht riskieren, dass er flieht", antwortete Kapitän Tu.

"Aber er konnte das Tor doch nicht passieren. Die Elektroschocks hatten ihn bereits außer Gefecht gesetzt. Was sollte es für einen Sinn machen, ihn zu töten?"

"Er hat die anderen Bewohner zum Protest aufgestachelt. Wenn wir sie auf dieser Ebene nicht abschrecken, müssen wir beim nächsten Mal mehr töten."

"Sie verstehen aber schon, dass es sich weder um Kriminelle noch um Schläger handelt?" General Xiong ging auf das einzige Fenster im Überwachungsraum zu. Von dort aus konnte er das Lager überblicken. "Diese Menschen sind unschuldig! Die einzige Sünde, die sie begangen haben, ist, dass sie einem tödlichen Virus ausgesetzt waren. Sie sind bereits unglücklich. Warum unterdrücken Sie sie noch zusätzlich?"

“Sir, ich habe einen Eid geschworen, mein Land zu schützen. Ich kann nicht zulassen, dass es von jemandem bedroht wird, nicht einmal von den eigenen Bürgern. Wir können nicht so tun, als sei dies eine normale Mission. Haben Sie darüber nachgedacht, was die Konsequenzen sind, wenn wir versagen? Ich bin mir sicher, dass Sie dafür nicht die Verantwortung übernehmen wollen.”

“Ich brauche an dieser Stelle keine Lektion, wie ich meine Pflicht zu erledigen habe. Ich habe mich sämtlichen Herausforderungen in meinem Leben gestellt. Diese Mission mag die Schwierigste sein, und wahrscheinlich werden wir am Ende einige Opfer zu beklagen haben, aber das bedeutet noch lange nicht, dass wir diese Menschen wie Ratten töten dürfen. Zumindest haben sie ein Recht, so lange wie möglich am Leben zu bleiben. Dabei liegt es in unserer Verantwortung, sie und den Rest der Bevölkerung zu schützen. Von jetzt an will ich einen täglichen Bericht über alle wichtigen Vorkommnisse im Lager - und zwar bevor Sie irgendeinen Befehl ausführen. Sie sind nur für die tägliche Routine des Lagers zuständig. Haben Sie mich verstanden, Kapitän?”

“Ja, Sir, das habe ich.” antwortete Kapitän Tu.

“Und noch eine Sache: Von nun an sorgen wir für eine gewisse Unterhaltung hier im Lager. Jede Woche dürfen sich die Bewohner ein Buch wünschen, einen Film, jedenfalls etwas, das sie ein wenig auf andere Gedanken bringt. Und Sie sind mir dafür verantwortlich. Je mehr alle unterhalten werden, desto geringer ist die Wahrscheinlichkeit, dass sie einen Protest organisieren.”

General Xiong wies ihn mit einer Handbewegung ab. “Jetzt lassen Sie mich in Ruhe.” Er war wütend. Es war nicht das erste Mal, dass ihn ein Einsatz frustrierte. Bereits seit einiger Zeit waren Zweifel hinsichtlich seiner militärischen Überzeugungen in diesem Land gewachsen. Im Namen von Sicherheit und Ordnung wurde so viel Leid über normale Menschen gebracht. War das alles wirklich notwendig? Was war wichtiger: der Schutz des Vaterlandes oder der Schutz der darin lebenden Menschen? Vielleicht war es für ihn an der Zeit, zurückzutreten. Er hatte nicht mehr das gleiche Vertrauen in das System wie früher. Am liebsten würde er sich direkt aus dem aktiven Geschehen zurückziehen, aber jetzt war nicht die Zeit dafür. Wenn er die Mission jetzt verließ, würde Kapitän Tu übernehmen. Dann standen die Chancen gut, dass er den Rest des nationalen Sicherheitsteams davon überzeugen würde, jeden zu eliminieren, der im Verdacht stand, sich mit dem Virus infiziert zu haben. Das gefährdete jeden im Lager und sogar darüber hinaus Um der Bewohner willen konnte er jetzt nicht aufgeben.

In den Tagen nach dem Zwischenfall am Tor driftete das Lagerleben in einen ungewöhnlichen Ruhezustand. Alle Hoffnungen der Bewohner, ihre Freiheit zurückzuerlangen, waren völlig zum Schweigen gebracht. Es gab zur Mittagszeit in der Halle weder Diskussionen noch Gespräche. Alles war anders. Niemand versuchte den Rest zum Protest zu bewegen, ihnen ihre Rechte aufzuzeigen oder wie sie ihre Forderungen durchsetzen konnten. Jetzt wussten alle, dass sie keine Chance hatten, etwas zu verändern. Langsam nahmen sie ihr Schicksal an. Die leeren Gesichter, die fehlende Bereitschaft, einander auch nur zu grüßen, all das waren Zeichen dafür, dass sie wussten, dass sie besiegt waren.

Verzweiflung und Elend beschmutzten die Atmosphäre wie die Asche eines Vulkans, die nach einem Ausbruch vom Himmel fiel. Sie machte die Tage dunkler und düsterer. Die Bewohner vegetierten wie eine tote Armee vor sich hin. In ihren Augen spiegelten sich nur Ziel- und Hoffnungslosigkeit. Die Schießerei am Tor hatte ihnen gezeigt, dass sie für lange Zeit im Lager verschwinden würden und dass die meisten von ihnen das Lager nicht lebend verlassen würden. Lediglich ihr Hunger und ihre Angst vor Strafe, falls sie ihre Arbeit nicht erledigten, trieben sie aus ihren Zimmern. Die meisten Tage waren so eintönig, dass viele ihr Zeitgefühl aus dem Blick verloren. Bis zu dem Tag als die zweite Menschenwelle ins Lager gespült wurde.

Die meisten der Bewohner konnten sich lebhaft an diesen Tag erinnern. Eine Stunde bevor die Neulinge ankamen, hielt Kapitän Tu die Bewohner an, im Hauptgebäude zu bleiben. Selbst die primären Aufgaben des Lagers, wie das Verbrennen der Leichen und die Essensausgabe wurden gestrichen. Er erklärte mit keiner Silbe, warum. Innerhalb weniger Minuten jedoch folgten alle, die um das Gebäude verstreut waren, seinem Befehl. Auch die Anzahl der Soldaten, die das Lager von den Türmen aus bewachte, war von zwei auf zehn erhöht worden. Alle hatten ihre Gewehre am Anschlag und zielten auf das Lagergelände. Falls nötig waren sie bereit, sofort zu schießen. Beim Anblick der Soldaten, brachen die Bewohner in Panik aus. Bereitete sich das Militär etwa darauf vor, sie alle abzuschlachten? Die weniger optimistischen Bewohner des Lagers sagten voraus, dass sie irgendwann alle getötet werden würden. Das würde viel weniger Mühe machen, als sie zu isolieren und am Leben zu erhalten. Es schien logisch, tötete man das Monster, löschte man auch das Böse aus. Würde sich diese

Vorhersage bewahrheiten? Der Terror durch die Soldaten, die das Gebäude angriffen, ließ die Bewohner unter Tischen und Betten, hinter Wänden und Türen verschwinden. Jeder, der konnte brachte sich in Sicherheit.

“Bleib hier! Sei still! Egal, was passiert oder was du hörst, komm nicht raus. Es sei denn, ich komme dich holen. Okay?”, sagte eine Mutter zu ihrer sechsjährigen Tochter und versteckte sie in einem Schrank im Keller des Gebäudes. Sie küsste ihre Kleine und ließ sie zitternd und weinend in der Dunkelheit des Schranks zurück.

Andere Bewohner waren weniger aufgebracht. Sie waren fest davon überzeugt, dass Verstecken keinen Sinn machte. Wenn die Soldaten sie töten wollten, würden sie ihr Ziel mit Sicherheit erreichen. Schließlich trugen sie alle ihre Fußfessel, die den Soldaten sofort den Standort verriet, ganz gleich wo auch immer sie sich aufhielten. Diese Gruppe verfolgte die Bewegungen außerhalb des Lagers vom Fenster aus, hielt den Atem an und versuchte, Angst und Unruhe zu verbergen, die sie umtrieb.

Um zehn Uhr morgens öffnete sich das Haupttor des Lagers endlich, und fünf Busse fuhren ein. Es war das erste Mal nach der ersten Welle, dass so viele Menschen auf einmal das Lager betraten. In der gesamten Zeit waren nur vereinzelt ein oder zwei Personen ins Lager gebracht worden. Wahrscheinlich hatten sie das Virus gut eindämmen können, indem sie sämtliche betroffenen Patienten isoliert hatten. Aber nun wurde offensichtlich, dass sie einen weiteren Hotspot aufgetan hatten und dass das Virus massiv wütete. Die voll mit Menschen zugestopften Busse zu sehen, brachte den Bewohnern des Lagers ein Gefühl der Erleichterung. Es klang paradox, denn je mehr Menschen im Lager waren, desto eher konnte man sich mit dem Virus anstecken, desto weniger Platz gab es in den Zimmern und desto härter mussten die Menschen, die eine Aufgabe hatten, arbeiten. Es bedeutete aber auch, dass die Soldaten sie nicht töten würden. Jedenfalls noch nicht.

Die Neuankömmlinge stammten nicht aus Peking oder der näheren Umgebung. Sie kamen alle aus einem kleinen Dorf weit entfernt von der Metropole. Ein einziger von ihnen, war vor einem Monat in Peking gewesen. Als er in das Dorf zurückgekehrt war, übertrug er die Infektion auf die übrigen Dorfbewohner. Das Virus breitete sich rasend schnell aus. Obwohl der Mann die Krankheit selbst nach einer sehr heftigen Woche überlebt hatte, verlor er seine alten Eltern an das Virus. Bald gerieten die zufälligen und plötzlichen Todesfälle der Dorfbewohner außer Kontrolle. Erst als Ärzte in das Dorf kamen, fand man den wahren Grund für die neuerlichen Todesfälle heraus. Über Nacht rückten zwanzig Ärzte und Hunderte von Soldaten in das Dorf ein. Alle in weiße Kittel, Masken und Gesichtsschutz gehüllt. Sie blockierten die Straßen in und aus dem Dorf, verbrannten die Leichen der toten Patienten, errichteten ein Feldlazarett außerhalb des Dorfes und verlegten die restlichen Patienten dorthin. Am dritten Tag sagte man den Dorfbewohnern, dass man sie alle für eine kurze Zeit in ein besser ausgestattetes Krankenhaus in der Nähe von Peking bringen würde, um sie auf das Virus zu testen. Die Soldaten befahlen allen Dorfbewohnern, sich auf dem Hauptplatz zu versammeln, um in die Busse zu steigen. Die meisten von ihnen folgten dem Befehl. Einige wenige aber stellten ihn in Frage. Sie glaubten nicht, dass die Soldaten ihnen die Wahrheit sagten. Sie waren überzeugt, dass sie in eine Quarantänestation gebracht werden würden. Der schreckliche Ruf dieser Stationen aus der ersten Welle der Seuche saß noch ziemlich frisch in den Köpfen der Menschen. Aber am Ende waren sie nicht in der Position etwas zu entscheiden. Die Soldaten überprüften sämtliche Häuser im Dorf, zogen diejenigen heraus, die sich versteckt hielten, setzten sie in die Busse und transportierten sie ab.

Nach einer langen Busfahrt fanden sie sich in einem Lager wieder, das von Zäunen umgeben und mit Türmen ausgestattet war die wiederum von Soldaten bewacht wurden. Sie waren gefangen. Der Albtraum, den sie während der Fahrt nicht hatten wahrhaben wollen und über den sie nicht sprechen wollten, war nun Realität geworden. Sie hatten davon gehört, dass Menschen in Quarantänestationen gebracht worden waren, aber wie die meisten Menschen hatten sie nicht wirklich daran geglaubt, dass es ihnen selbst passieren konnte. Menschen sind einander sehr ähnlich: Bis eine Tragödie über sie oder jemanden, den sie kennen, hereinbricht, registrieren sie sie nicht als Bedrohung. In den Köpfen der Menschen können schreckliche Ereignisse nur an weit entfernten Orten passieren. Mit Fremden, die sich von ihnen selbst unterscheiden. Warum sollten sie sich also Gedanken darüber machen? Es kümmert sie nur in den Fällen, in denen die Bedrohung näher rückt und sie selbst betrifft. Es mag ein Bewältigungsmechanismus sein oder einfach die reine Ignoranz der Menschen, aber es ist die Wahrheit.

Die Dorfbewohner stiegen aus den Bussen. Alles in dieser Gegend schien ihnen feindlich: die hohe, weiße Fassade des Hauptgebäudes, das allein in der Mitte des Lagers stand, die Soldaten, die ständig ihre Gewehre auf sie richteten, die Zäune sowie die stille und schaurige Atmosphäre, die überall zu spüren war. Alles war Beweis dafür, dass es sich nicht um das versprochene Krankenhaus handelte. Als alle im Freien standen, begann jemand mit fester und autoritärer Stimme aus einem Lautsprecher zu sprechen und befahl ihnen, das Hauptgebäude im ersten Stock zu betreten.

Kapitän Tu wiederholte seine Rede vom ersten Tag auch für die Neuankömmlinge Er teilte ihnen mit, dass sie von nun an gefangen waren und auf unabsehbare Zeit mit diesem tödlichen Virus im Lager zu leben hätten.

Plötzlich unterbrach ein großer, muskulöser Mann im Publikum die Rede des Kapitäns. Er schrie und deutete auf den Mann, der das Virus aus Peking ins Dorf gebracht hatte: “Ich wusste es! Am Ende hat er doch seine Rache bekommen. Er hat es immer wieder gesagt. Erinnert euch! Als der Richter vor einem Jahr anordnete, dass er die Felder zurückgeben muss. Das Land, das seine Großeltern uns illegal weggenommen hatten. Er sagte allen, dass er sich rächen werde. Er hat diesen Virus mitgebracht, um uns alle zu töten.”

“Ja, das stimmt. Ich habe es selbst mehrere Male von ihm gehört. Er hat immer allen erzählt, dass er sich an den Dorfbewohnern rächen wird”, stimmte ein anderer Mann in der Menge ein.

Von einer auf die andere Sekunde versank der Raum im Chaos. Jeder warf Stühle und alles, was er finden konnte, auf den betroffenen Mann, der in der Ecke des Raumes stand. Er bückte sich und versuchte, sowohl sein Gesicht als auch seinen Kopf mit den Händen zu schützen. Währenddessen versuchte er sich zu verteidigen und schrie, dass auch er seine Eltern durch die Krankheit verloren habe. Aber im Raum war es zu laut, und die Leute waren zu wütend, um ihm zuzuhören. Niemand konnte hören, was er sagte. Plötzlich sprang der muskulöse Mann, der die Anschuldigungen ausgesprochen hatte, auf den Mann in der Ecke zu, legte seine Hände um dessen Hals und begann ihn zu würgen.

Kapitän Tu beobachtete die Szene über die Monitore. Die Situation geriet außer Kontrolle. “Elektroschocks, für alle! Schnell, schnell!”, befahl er einem Soldaten aus dem Überwachungsraum.

Die Fußfesseln schalteten sich ein und gaben pulsierende Elektroschocks ab. Bald lagen alle wie gelähmt auf dem Boden. Die Kinder schrieen und weinten. Der Mann in der Ecke lag auf dem Boden. Er bewegte sich nicht mehr.

Kapitän Tu sprach durch den Lautsprecher. “Das war nur ein kleiner Vorgeschmack. Wenn wir ab jetzt irgendwelche Unruhen oder gewalttätigen Aktionen sehen, werden wir dafür sorgen, dass Sie wirklich hart bestraft werden. Und jetzt kümmert euch um diesen Kerl.”

Die Frau des Mannes beugte sich über ihn und überprüfte dessen Atem und Puls.

“Er atmet nicht, er atmet nicht!”, schrie sie in Richtung des muskulösen Mannes. “Du hast ihn umgebracht!”

“Bringt ihn auf die Krankenstation”, befahl Kapitän Tu.

Eine halbe Stunde später teilte Doktor Zhang der Frau des Mannes mit: “Es ist zu spät, wir konnten nichts mehr für ihn tun.”

Als Kapitän Tu die Neuankömmlinge schließlich aus der Haupthalle entließ, machten sie sich auf die Suche nach freien Zimmern im Gebäude. Die Bewohner, die schon über ein Zimmer verfügten, wollten ihren Raum nicht teilen. Schließlich war die Wahrscheinlichkeit groß, dass sie sich bereits in den Bussen mit dem Virus angesteckt hatten. Und die Neuankömmlinge konnten den Bewohnern ebenso wenig trauen. Letztendlich standen alle im Verdacht, das Virus zu haben und es auch weitergeben zu können. So hatte sich das Lager bald in zwei Stämme getrennt: die alten Bewohner und die Neuankömmlinge. Das gestaltete das Leben im Lager noch schwieriger. Die Neuankömmlinge waren unverbraucht. Sie verfügten noch über ausreichend Energie, Hoffnung und den Optimismus, ihre Situation zu meistern. Also fingen sie, wann immer sie konnten, einen Streit an, der nicht selten in einem physischen Kampf mit den alten Bewohnern endete. Außerdem waren sie stärker miteinander verbunden, da die meisten untereinander verwandt waren. Die alten Bewohner wiederum lernten schnell, dass es besser war, sich nicht mit den Neuankömmlingen zu prügeln. Denn egal aus welchem Grund die Prügelei entstanden war oder wer den Kampf begonnen hatte, Kapitän Tu funkte in jedem Fall dazwischen und bestrafte jeden, der involviert war. Die Neuankömmlinge hingegen brauchten ein paar elektronische Bestrafungen und den Tod von Freunden und Familienangehörigen, die durch das Virus dahin gerafft wurden, um zu begreifen, dass es in diesem Lager weder einen Platz für Arroganz noch einen Weg zur Flucht gab.

# 9

Es war nach dem Mittagessen. Wie an jedem anderen Tag im Lager auch, wartete Chen am Eingang der Krankenstation auf seinen Mitstreiter, der die Leichen abholte und sie zur Verbrennung ins Krematorium brachte. Sie hatten die Nachmittagsschicht. Die ganze Prozedur dauerte bei ihnen vier bis fünf Stunden. Chen wartete schon seit mehr als zehn Minuten auf ihn. Das war seltsam. Sein Kollege war eigentlich immer pünktlich. Zwar hasste er seinen Dienst und beschwerte sich pausenlos darüber, aber er kam nie zu spät. Es war bekannt, wer sich verspätete oder seinen Dienst schwänzte, wurde mit Elektroschocks bestraft, und das Risiko ging niemand ein. Dieses Wissen half, dass die Bewohner weiterhin routinemäßig ihre Pflichten erfüllten.

Chen erinnerte sich an sein letztes Gespräch mit seinem Kollegen. Sie hatten vor dem Krematorium auf die Leichen gewartet, oder vielmehr auf das was von ihnen übrig blieb. “Ich habe fast jede Nacht Albträume. Ich sehe mich selbst als Leiche, die in der Kammer verbrennt und vor

Schmerzen schreit. Dann wache ich atemlos und schweißgebadet auf und finde mich auf meinem Bett wieder. Ich weiß nicht, wie lange ich das noch durchstehe. Je länger ich diesen Job mache, desto mehr ekelt er mich an. Es ist kein Ende in Sicht. Es gibt keinen einzigen Tag, an dem ich nicht die Gesichter der Leichen vor mir sehe. Immer, wenn wir sie anfassen, habe ich eine Heidenangst, mich mit dem Virus anzustecken. Wenn mich diese Albträume nicht umbringen, dann tut es der Virus. Jeden Tag transportieren wir die Toten, die an dem Virus gestorben sind. Es kommt der Tag, an dem es auch uns töten wird."

Das stimmte. Nur zwei Tage zuvor war ein Mitglied der zweiten Schicht, der ebenfalls für die Leichen verantwortlich war, an der Infektion erkrankt. In weniger als einem Tag war er selbst zu einer der Leichen geworden, die Chen und sein Kollege aus der Krankenstation abholen mussten.

Chen wusste nicht, was er seinem Partner sagen sollte. Es war ja die Wahrheit. Ihre Aufgabe war die gefährlichste und schwierigste im gesamten Lager. Aber Chen hatte seine eigene Art, damit umzugehen. Während der ganzen Prozedur der Leichenverbrennung stellte er sich im Geiste einen seiner Tischtennis-Wettkämpfe vor. Es gelang ihm, sich vorzustellen, wie sein Trainer ihn von der Seite aus rief und ihm Anweisungen gab. Wie ihn die Fans anfeuerten und der Gegner ins Visier nahm, während er sich gerade darauf einstellte, den ersten Ball aufzuschlagen, um seine einzigartigen Spielzüge durchzuziehen. Er zählte die Punkte, die er gewann, und die, die er verlor. Er konnte sich das alles vorstellen. Es war wie in einem Film, der in seinem Kopf ablief. Diesen Film spulte er wieder und wieder ab.

Währenddessen holte er in der realen Welt die nächste Leiche aus dem Sack, legte sie in die Einäscherungskammer, wartete darauf, dass die Verbrennung ihr Ende nahm. Im Anschluss holte er die Asche raus. War er tief genug in seinen Erinnerungen versunken, vergaß er sogar manchmal, dass er einen Mitarbeiter hatte. Chen wusste, wie man unter Druck überlebt. Aber er hatte keine Ahnung, wie er es jemand anderem beibringen konnte. Er versuchte es mit ein paar nichtssagenden Worten, um den anderen zu beruhigen. Aber das reichte nicht . Er fand keine Möglichkeit, ihn zu beruhigen. Er konnte ihm nicht sagen, dass es bald vorbei sein würde; er konnte ihm nicht sagen, dass es einfacher werden würde. Die Wahrheit war, dass sie schon am nächsten Tag wieder von vorne anfangen mussten.

Sein Kollege war nun schon über eine halbe Stunde überfällig. *Irgendetwas stimmte da nicht,* dachte Chen. Er hatte jedoch keine andere Wahl. Die Arbeit rief und er begann, die Leichen alleine einzusammeln. Das war jedenfalls besser, als die kommenden Elektroschocks zu ertragen.

Chens Arbeitskollege saß in seinem Zimmer. An diesem Morgen wachte er wieder aus einem Albtraum auf. Sein ganzer Körper zitterte, und er war schweißgebadet. Wieder einmal sah er sich brennend in der Kammer. Nach demAufwachen zitterte er noch immer und konnte an nichts anderes als an seinen Albtraum denken. Es war ihm klar, dass er so nicht weitermachen konnte. Eher würde er die Elektroschocks in Kauf nehmen, als sich ein weiteres Mal zwingen seine Pflicht zu erfüllen. Es dauerte eine halbe Stunde, bis die erste Vibration über seine Fußfessel kam, um ihn an seine Pflicht zu erinnern. Sie war noch relativ harmlos; es war nur ein kleiner Stupser; fast eine freundliche Erinnerung. Er ignorierte die Vibration. Eine Stunde später begannen schwache Elektroschocks. Er fragte sich, was sie letztendlich mit ihm anstellen würden, wenn er sich weiterhin weigerte. Schließlich konnten sie ihn nicht unendlich damit malträtieren. Er würde einfach durchhalten, ein paar Stunden oder sogar einen Tag lang, egal was passierte. Danach würden sie ihn in Ruhe lassen und jemand anderen mit dieser Aufgabe betrauen. Am Ende der dritten Stunde waren die Schocks so stark, dass er sein Bein nicht mehr spüren konnte. Es war völlig taub. Trotzdem widerstand er den regelmäßigen Impulsen.

Im Überwachungsraum informierte ein Soldat Kapitän Tu über den Ungehorsam des jungen Mannes. "Er liegt in seinem Zimmer und rührt sich nicht. Wir haben ihm schon einige leichte Schocks verpasst, aber das hat ihn nicht zum Laufen gebracht. Er bleibt starrköpfig. Wie lautet Ihr Befehl, Kapitän?"

Nach dem Vorfall am Tor wusste Kapitän Tu nicht, wie weit er gehen konnte. Er musste den Befehl von General Xiong erfragen.

"Hallo Sir, Kapitän Tu hier", meldete er sich bei General Xiong am Telefon.

"Was ist los, Kapitän? Soviel ich weiß, ist unser tägliches Briefing für den Nachmittag angesetzt", sagte General Xiong.

"Ja, Sir, aber wir haben hier ein dringendes Problem." Kapitän Tu erklärte General Xiong das Problem. "Wie lautet Ihr Befehl?"

“Warum gönnen Sie ihm nicht eine Pause? Geben Sie ihm eine Woche Zeit, sich zu erholen.”

“Nein, wenn wir das tun, werden alle anderen ebenfalls eine Pause von ihren Pflichten wollen. Dann versinkt das ganze Lager im Chaos.”

“Wie wäre es, die Stärke der Elektroschocks zu erhöhen?”

“Ja, daran habe ich auch gedacht. Wir können das machen. Aber das wird ihn für ein paar Tage außer Gefecht setzen. Er ist dann unfähig seine Aufgaben zu erfüllen. Darüber hinaus gibt es keine Garantie, dass er anschließend williger ist als jetzt.”

“Leider gibt es keine Alternative. Also tun Sie es einfach. Hoffen wir, dass es ihm eine Lehre ist. aber passen Sie auf, dass Sie ihm keinen bleibenden Schaden zufügen.”

Sobald Kapitän Tu die Erlaubnis von General Xiong eingeholt hatte, wies er einen der Soldaten an, dem Mann die höchste Intensität an Schocks zu verabreichen. “Ich will den längsten und höchsten Impuls, der möglich ist. Es muss ihm richtig wehtun, sollte aber keine Langzeitwirkungen haben. Haben Sie verstanden?” Die Soldaten nickten.

“Ja, Sir.”

Der Lautsprecher des Lagers schaltete sich ein. Kapitän Tu begann zu sprechen. Er verkündete den Namen des ungehorsamen Mannes. Dieses Mal bediente er sich einer anderen Methode. Er versuchte, den Bewohnern zu erklären, warum er den Mann bestrafen würde. Das hatte er noch nie zuvor getan. “Wir alle, ihr Bewohner des Lagers und ich, haben ein Ziel und eine Mission: Nämlich, die Hauptbevölkerung dieses Landes gesund zu erhalten. Ihr, indem Ihr Eure Freiheit opfert, und ich, indem ich die Ordnung im Lager aufrecht erhalte. Das alles kann nur gelingen, wenn wir alle zu unserer Verantwortung stehen. Aber dieser Mann betrügt uns. Jeden von uns. Er weigert sich, seine Pflicht zu erfüllen. Das Leben im Lager kann ohne die Mitarbeit jedes Einzelnen von euch nicht funktionieren. Ihr wollt nicht hungern oder in den Gängen über Leichen stolpern. Deshalb muss jeder von Ihnen seine Verantwortung ernst nehmen. Wenn Sie sie ignorieren, haben wir keine andere Möglichkeit, als Sie zum Wohle der anderen Bewohner zu zwingen. Aus diesem Grund müssen wir heute einen der Bewohner bestrafen, der sich unseren Mahnungen lange widersetzt hat. Dies ist für ihn, aber auch für euch die letzte Warnung. Die nächste Bestrafung wird unumkehrbar sein."

Die Menge wusste nicht, was los war. Aber wann immer Kapitän Tu etwas per Lautsprecher ankündigte, war das kein gutes Zeichen. Kapitän Tu fuhr in seiner Rede fort. "Wir ermutigen Sie alle, Ihre Befehle zu befolgen. Das ist in Ihrem eigenen Interesse. Es macht keinen Sinn, sich selbst, aber auch die anderen Bewohner in eine noch größere Unruhe zu versetzen."

Kapitän Tu schaute zu einem der Soldaten und nickte auffordernd. Als der elektrische Impuls angelegt wurde, konnte man die Schreie des Mannes im ganzen dritten Stock hören, dort, wo sich sein Zimmer befand. Der Mann versuchte, sich auf den Korridor zu schleppen, um jemanden zu finden, der ihm helfen konnte. Er sah eine Frau vorbeigehen. Sie sah ihn an und trat näher auf ihn zu. Die Stromstöße hörten auf, und der Mann brach auf dem Boden zusammen. Die Frau zögerte, scheute sich, ihn zu berühren. Er gehörte immerhin zu denjenigen, die die

Leichen verbrannten. Sie stand über dem Körper des Mannes und konnte kaum seine Worte vernehmen, die aus seinem Mund kamen. "Helfen Sie mir. Die wollen mich umbringen." Die Frau tat nichts. Starrte ihn nur an, wie er um Hilfe bettelte. Das Bild der Frau wurde für den Mann immer verschwommener. Sie hatte nicht vor, ihm zu helfen. Der Mann konnte nicht mehr sprechen. Die Schmerz in seinen Beinen und seinem Rücken waren so stark, dass er kaum ein Wort hervor brachte. Er blickte zum Ende des Korridors. Eine Gestalt lief auf ihn zu. Als sie näher kam, konnte er sie erkennen. "Chen, hilf mir. Sie wollen mich umbringen."

Als Chen den Namen seines Mitarbeiters in der Durchsage aus dem Lautsprecher gehört hatte, rannte er in Richtung dessen Zimmer. Bestrafung bedeutete in der Sprache des Kapitän Tut: Elektroschocks! Er wusste, dass sie ihm wehtun würden. Er hatte die lästigen Vibrationen und kleinen Impulse schon selbst erlebt. Aber er hätte nie gedacht, dass die so grausam zu den Lagerbewohnern sein würden, nur weil er einen Tag lang seine Pflichten nicht erfüllen wollte. Um den Knöchel des Mannes befanden sich Brandnarben, entstanden durch die elektrischen Impulse.

"Hey, Sie!" sagte Chen zu der Frau, die immer noch am selben Platz stand. "Helfen Sie mir, ihn auf die Krankenstation zu bringen." Sie schüttelte den Kopf.

"Jetzt sofort!" Diesmal schrie Chen sie an. Sein Gesicht war rot, und seine Augen waren voller Hass.

Der Tonfall von Chen überraschte die Frau. Sie öffnete den Mund, um etwas zu sagen, aber Chen rief lauter. "Sehen Sie nicht? Er hat große Schmerzen. Helfen Sie mir, oder ich sorge dafür, dass Sie am Ende des Tages tot sind." Als die

Frau in Chens Augen sah, erkannte sie, dass er es mit seiner Drohung ernst meinte. Schließlich half sie Chen, die Leiche auf die Krankenstation zu bringen.

An diesem Tag begrub Chen sämtliche Leichen allein. Keiner meldete sich freiwillig, um ihm zu helfen. Nachdem er seine Aufgabe im Krematorium beendet hatte, ging Chen zurück auf die Krankenstation, um nach seinem Kollegen zu sehen.

“Wie geht es ihm?” fragte er Fen.

“Nicht gut. Er ist bei Bewusstsein. Heute wird er nicht sterben, aber die starken Elektroschocks haben seine beiden Nieren geschädigt. Wir haben hier kein Dialyse-System. Er wird nicht mehr als ein paar Tage überleben. Willst du ihn sehen?” fragte Fen. Chen nickte, und Fen wies ihm den Weg.

Er betrat den Raum. Die Augen seines Partners waren geschlossen. Chen wollte gerade den Raum verlassen, als er eine leise Stimme hörte.

“Komm rein, Chen”, sagte der Kollege mühsam.

Chen ging näher heran. Die Augen des Mannes waren immer noch geschlossen. “Hast du sie heute alle ganz allein begraben?”, fragte er.

“Ja”, antwortete Chen.

“Ich habe dich allein gelassen. Tut mir leid. Ich war mir sicher, wenn ich lange genug darauf beharre, würden sie mich da rauslassen und jemand anderen beauftragen. Ich hätte nie gedacht, dass sie mich dafür so foltern würden.”

“Das sind Militärsoldaten. Du hättest keine Gnade von ihnen erwarten dürfen.”

“Das weiß ich jetzt. Hör zu! Ich muss dir etwas sagen. Unser Leben ist ihnen offensichtlich egal. Es macht ihnen nichts aus, uns alle zu opfern. Ich schätze, der einzige Grund, warum sie uns am Leben gelassen haben, ist, dass sie uns in der Zukunft für die Entwicklung von Medikamenten brauchen könnten. Selbst wenn sie ein Heilmittel finden, werden sie niemals riskieren, uns freizulassen.”

“Ich weiß nicht. Warum machen die sich dann die Mühe, uns am Leben zu erhalten? Es ist nicht einfach, ein paar hundert Leute für immer in einem Lager zu halten.”

“Warum nicht? Wenn dieses Virus so gefährlich für die Öffentlichkeit ist, wie sie sagen, werden sie alles tun, um es zu kontrollieren. Hör’ mir zu. Ich werde bald sterben. Sie haben es mir vor einer Stunde gesagt, und ich weiß, dass du es auch weißt. Es beunruhigt mich nicht mehr. Wie auch immer, die meisten von uns werden in ein paar Wochen tot sein. Aber bevor ich gehe, muss ich dir noch etwas sagen.”

“Ich höre”, sagte Chen.

Der Mann setzte sich in seinem Bett auf und gab Chen ein Zeichen, näher zu kommen. “Flieh!”, flüsterte er. “Versuch’ zu entkommen und rette dich. Auf keinen Fall werden die euch lebend gehen lassen. Ich habe schon in der ersten Nacht, in der sie uns hierher gebracht haben, darüber nachgedacht. Ich habe einen Plan. Er ist nicht vollständig, aber du kannst ihn zu Ende bringen”, sagte er. Der Mann spürte einen scharfen Schmerz in seinem unteren Rücken, der ihm für eine Sekunde den Atem nahm. Er schloss die Augen.

“Aber sie haben überall im Lager Wachen positioniert. Und außerdem, was ist mit unseren Fußfesseln? Die können uns sogar innerhalb des Gebäudes verfolgen”, überlegte Chen.

“Es gibt eine feste Größe von außen, die jeden Tag ins Lager ein- und ausfährt.” Er sah Chen an und wartete, dass er selbst darauf kommen würde.

“Der Essenswagen?”

“Ja. Finde einen Weg, da reinzukommen. Und wegen deiner Fußfessel. Hast du schon mal von einem Faradayschen Käfig gehört?”

“Nein, was ist das?” fragte Chen.

“Es ist eine Art Abschirmung, die aus einem leitfähigen Material besteht. Wenn du sicherstellen kannst, dass dein Knöchel vollständig mit so etwas abgedeckt ist, kann das Gerät keine Signale senden.”

“Wo könnte ich so etwas hier im Lager finden?”

“Alufolie. Mehrere Lagen davon um deinen Knöchel können ein solches Schutzschild bilden. Alufolie ist leicht und kann um deinen Knöchel gewickelt werden.”

“Warum erzählst du mir das?”

“Ich weiß es nicht. Vielleicht, weil du der Einzige warst, der mir geholfen hat, obwohl ich am ersten Tag so gemein zu dir war. Oder vielleicht will ich mich einfach nur an ihnen rächen. Mein Grund ist nicht wichtig. Mach einfach, was ich dir sage.”

“Okay, ich werde darüber nachdenken”, sagte Chen zögernd. Es hatte keinen Sinn, einen Mann auf dessen Sterbebett zu enttäuschen. Der Typ nahm so viele Medikamente und halluzinierte wahrscheinlich. Chen nahm seine Worte nicht richtig ernst. Nach ein paar Minuten verließ er das Krankenhaus. Wie Fen es vorausgesagt hatte, überlebte der Mann seinen dritten Tag auf der Station nicht. Chen besuchte ihn täglich, nachdem er seine Aufgaben erledigt hatte. Bei jedem Besuch sprach der Mann mit Chen über seinen Fluchtplan; den Plan, den er selbst nie würde ausführen können. Am dritten Tag brachte Chen die Leiche seines Partners höchstpersönlich zum Krematorium. Während die Leiche in der Kammer verbrannte, beschloss Chen, zumindest über den Fluchtplan des Mannes nachzudenken. Dafür musste er den Fahrplan des Essenwagens überprüfen, und zweitens musste er Alufolie auftreiben. Er wusste, wo er eine Menge davon finden konnte. Die Lunchboxen waren in einer dünnen Schicht Aluminiumfolie eingepackt. Und er wusste, wer ihm bei diesem Plan helfen konnte: Lin. Sie arbeitete im Team der Essensausgabe. Sie kannte den Zeitplan des Essenswagens gut und sie konnte die Aluminiumhüllen für ihn sammeln.

# 10

Das Leben ist widerstandsfähig; daran besteht kein Zweifel. Auch in den schwierigsten Zeiten gibt es Wege, weiterzumachen. Vielleicht muss man sich neuen Situationen anpassen oder sich verändern, aber die Welt bleibt nicht stehen. Die Geschichte der Menschheit ist voll von schrecklichen Kämpfen, Naturkatastrophen und tödlichen Krankheiten. Aber nichts hat die Menschen davon abgehalten, ihr Leben weiterzuleben. Gäbe es diese Widerstandsfähigkeit nicht, hätten die Menschen nach dem ersten Völkermord der Geschichte, der ersten Naturkatastrophe oder der ersten Hungersnot aufgehört zu existieren. Es gibt immer einen Grund, der sich lohnt, weiterzumachen. Jedes Mal, nach solch düsteren Perioden, ja sogar mittendrin, geht das Leben weiter. Manchmal ist es sogar so, dass es stärker zurückkommt. Wie beim Schmieden eines Schwertes: Je härter man hämmert, desto mehr härtet man es.

. . .

*Wie viele Wochen waren wir nun schon hier?* dachte Doktor Zhang, während er einige Geräte von einem Patienten trennte, der nur wenige Minuten zuvor gestorben war. Er schaute auf den Kalender an der Wand der Krankenstation. *Nur drei Wochen! Es kam ihm wie eine Ewigkeit vor.* Doktor Zhang konnte sich nicht erinnern, wie viele Menschen in den letzten Wochen unter seiner Aufsicht gestorben waren. Er zählte sie nicht mehr. Dafür hatte er keine Zeit. Selbst wenn er nicht in der Krankenstation arbeitete, machte die schrumpfende Zahl der Menschen deutlich, dass das Virus sehr schnell durch das Lager wütete. *Wie viele von ihnen sind inzwischen gestorben, ein Drittel, die Hälfte? Spielte das überhaupt noch eine Rolle?* In all den Jahren, in denen er als Arzt gearbeitet hatte, hatte er sich noch nie so machtlos gefühlt. Wenn die Patienten anfingen, schwere Symptome zu entwickeln, gab es nicht mehr viel, was er für sie tun konnte. Natürlich versuchte man auf der Krankenstation, ihre Schmerzen zu lindern und sie noch ein paar Stunden am Leben zu erhalten. Aber die meisten von ihnen würden innerhalb weniger Tage sterben.

Doktor Zhang war müde. Es gab Zeiten, in denen er daran zweifelte, ob sich überhaupt der Versuch lohnte, den Patienten zu helfen. Im besten Fall starben sie ein oder zwei Tage später. War es nicht besser, sie die letzten Stunden ihres Lebens in Ruhe zu lassen, statt ihnen Schläuche in Mund und Nase zu stecken und Medikamente zu spritzen, bis sie fast bewusstlos wurden? War es nicht besser für sie, wenn sie in ihren Zimmern bleiben konnten, Zeit hatten, über ihr Leben und ihre Lieben nachzudenken, um dann in Frieden zu sterben? War es wirklich nötig, sie für die letzten Stunden ihres Lebens auf die Krankenstation zu verlegen? Reichte es nicht, dass sie in einem Lager eingesperrt waren?

Er dachte an den Eid, den er vor Jahren im Rahmen seiner medizinischen Ausbildung geschworen hatte. Er erinnerte sich an den Schwur, Wort für Wort. Der erste Satz lautete: “Ich werde mich freiwillig der Medizin widmen, in Liebe zu meinem Vaterland und in Loyalität zum Volk.” Er wiederholte den ganzen Schwur. “Liebe zum Vaterland” stand an erster Stelle des Eides, noch vor “zum Volk”. Der Eid war ein perfektes Spiegelbild der Situation, in der sie sich befanden. Aus Liebe zum Vaterland waren die Menschen an diesem Ort inhaftiert. Was auch immer im Lager geschah, wurde im Namen des Vaterlandes getan. Es war gemäß dem Eid. Er wiederholte den Schwur ein drittes Mal. Im Eid kam die Freiheit der Patienten nicht vor. Die Freiheit zu wählen, wie und wo man sterben wollte. Wenn man krank wurde, verlor man nicht nur seine Gesundheit, sondern gleichzeitig die eigene Freiheit. Basierend auf dem Eid wurde alles richtig gemacht. Sogar das Festhalten der Patienten auf der Krankenstation, ohne deren Erlaubnis. Aber wer entschied, ob der Eid selbst richtig war?

Doktor Zhang beendete seine Arbeit auf Station und übergab seine Berichte an die Krankenschwester, die ihre Schicht vor einer Stunde begonnen hatte. Er musste auf sein Zimmer gehen. Er musste seine Frau und seine Tochter sehen, anstatt über diese abstrakten Fragen nachzudenken. In diesem Lager kümmerte es niemanden, ob der medizinische Eid richtig war oder nicht. Selbst außerhalb des Lagers konnten sich die meisten Ärzte nicht an den Eid erinnern, den sie geschworen hatten. Geschweige denn daran, ob er richtig war oder nicht. Er wusste nicht mehr, was richtig oder falsch war. Einst, als er jung und noch idealistisch gewesen war, glaubte er zu wissen, was im Leben richtig war. Seine Linie zwischen richtig und falsch, gut und schlecht, war ganz klar gewesen. Jetzt, mit zunehmendem Alter, wurde diese Linie immer schwammiger. Es gab viele Dinge, die er mit seinem ethischen Gewissen nicht mehr vereinbaren konnte. Wenn es in seiner Macht stünde, würde er die Gesundheit einer Nation über die Freiheit und Gesundheit seiner eigenen Tochter stellen? Würde er eine andere Entscheidung treffen als die, die für sie alle getroffen worden war? Er fand keine Antwort. Alles, was er wusste, war, dass wenn er tieftraurig, wütend oder sich machtlos fühlte, es nur eine Sache gab, die ihm Hoffnung geben konnte: das Lachen seiner Tochter. Ja, er musste in sein Zimmer gehen.

Sobald er den Raum betrat, stürzte sich seine Tochter auf ihn.

“Daddy, Daddy.”

Doktor Zhang schaffte es gerade noch, seine Arme auszubreiten, bevor seine Tochter anfing, an seinen Beine hochzuklettern. “Okay, okay, gib mir eine Sekunde. Na, komm hoch.” Sie kletterte bis zu seiner Taille, dann zog er sie hoch und umarmte sie. “Wie geht's meinem Mädchen?”

“Gut. Mommy hat mir gesagt, wenn du zurückkommst, wirst du mit mir Pony reiten.” Sie legte ihre Arme um Doktor Zhangs Hals.

“Wirklich, das hat deine Mommy gesagt? Aber ich bin doch gar kein Pony.” Doktor Zhang schaute zu seiner Frau, die lächelnd in der Tür erschien.

“Doch, das bist du. Mami hat gesagt, bis wir wieder nach Hause gehen, bist du mein Pony- Spielzeug.”

“Wenn sie das gesagt hat, dann muss es wohl so sein.” Er lächelte seine Frau an, setzte seine Tochter ab und beugte sich auf den Boden. “Worauf wartest du noch? Steig auf.”

~

Mit der Zeit kamen sich Lin und Chen immer näher. Jeden Tag nach der Arbeit gingen sie um das Lager herum spazieren. Es war die einzige Zeit des Tages, auf die sich beide freuten. Für ihren Spaziergang brauchten sie mindestens eine Stunde. Wenn sie zusammen waren, dachten sie weniger über das Lager, die Krankheit und das Virus nach. Lin dachte weniger an ihre verstorbene Mutter, und Chen dachte weniger an seine verpasste Chance, in der Nationalmannschaft zu spielen. Wenn sie beisammen waren, sprachen sie nie über ihre eigenen Verluste. Beide spürten, dass der Verlust des anderen größer war. Bald wurden Lin und Chen als Paar im Lager bekannt und zu einem Symbol der Hoffnung. Ihre Zuneigung zu beobachten, erinnerte die verzweifelten Bewohner daran, dass es noch Hoffnung im Leben gab und dass sie nicht aufgeben durften.

Wann immer die beiden auf ihre Beziehung angesprochen wurden, taten sie es einfach mit kleinen Ausreden oder Witzeleien ab: “Wer könnte in dieser Hölle, in der wir leben, an eine Romanze denken?” Und das stimmte in der Tat. Es war Wahnsinn, sich einzugestehen, dass man sich in jemanden verlieben konnte, wenn man wusste, dass man diese Person jeden Moment an den Tod verlieren konnte. Man würde sich nur selbst in eine Katastrophe stürzen.

Eines Abends, nach einem ihrer Spaziergänge durch das Lager, nahm Lin Chen mit auf ihr Zimmer und zeigte ihm ihr Notizbuch.

“Ich schreibe alles auf. Alles, was hier mit uns passiert, seit der ersten Nacht.”

“Wieso tust du das?”

“Ich weiß nicht so genau. Einerseits, weil ich hoffe, dass es eines Tages jemand außerhalb des Lagers lesen wird. Und weil ich daran glaube, dass wir eines Tages frei sein werden. Wenn ich dann darin lese, werde ich mich daran erinnern, dass ich die Hölle überlebt habe. Aber am meisten deswegen, weil ich gerne schreibe. Was gibt es Schöneres, als sich auszudrücken? Manchmal, wenn ich schreibe, ist es, als würde ich meine Gedanken sortieren. Ich wäge sie ab und finde manche von ihnen dumm, andere realistisch und wieder andere mutig. Ich finde mich selbst in den Worten wieder, die ich aufschreibe. Indem ich das tue, bringe ich mein Glück und meinen Kummer auf das Blatt. Danach schaue ich mir die Seiten an und erkenne, dass es nur ein Teil von mir ist, nicht alles. Und es gibt mir das Gefühl, diesen Teil so zu verändern, wie ich es will.”

Chen blickte sie ruhig an. Sie war naiv und weise zugleich. Ihre Worte ergaben sowohl einen Sinn als auch keinen. Das verwirrte Chen, aber seltsamerweise gefiel ihm das.

“Warum siehst du mich so an? Ich weiß, dass es für jemanden, der nicht schreibt, seltsam klingt, aber für mich ist es eine Art Meditation.”

“Nein, ich finde es nicht seltsam. Ich habe nie geschrieben oder meine Gedanken auf ein Stück Papier gebracht. Aber ich kann dich verstehen. Mein Problem ist, dass ich, im Gegensatz zu dir, in diesen Tagen nicht zu viel nachdenken will. Die Tage sind so dunkel, dass ich mich nicht an sie erinnern mag. Für mich ist es besser, wenn sie für immer verschwinden. Ich will das alles einfach nur vergessen. Und wenn ich mich eines Tages aus diesem Gefängnis befreie, möchte ich meine Gedanken und Erinnerungen hier begraben wissen. Lieber hätte ich ein Vakuum in meinem Kopf, als die Erinnerungen aus diesem Lager. Ein leeres Vakuum. Das wäre viel besser als meine momentanen Gedanken."

"Chen, was vermisst du am meisten aus deinem alten Leben?"

"Am Anfang habe ich meine Trainingseinheiten am meisten vermisst. Ich vermisste jede einzelne davon, auch den Teil, den ich nie gemocht habe: wie den Muskelkater nach einer intensiven Trainingseinheit zum Beispiel. Aber mittlerweile habe ich gelernt, ohne das Training zu leben. Das, was ich heutzutage am meisten vermisse, ist meine Freiheit. Das Gefühl, morgens aufzuwachen und selbst entscheiden zu können, was ich an diesem Tag tun möchte. Was ist mit dir?"

"Ich vermisse etwas, was ich nicht zurück haben kann, weder hier noch draußen. Am meisten vermisse ich meine Mutter. Ich habe das Leben draußen nie ohne sie erlebt. Wenn ich mir mein bisheriges Leben vorstelle, war sie ein großer Teil davon. Dann stelle ich mir vor, dass sie nicht da sein wird, wenn ich hier rauskomme. Das ist traurig und manchmal beängstigend. Die Welt da draußen wird nicht mehr dieselbe für mich sein, und manchmal zweifle ich daran, ob ich das ohne sie erleben möchte."

Lin schaute Chen direkt in die Augen. "Kannst du mir etwas versprechen?"

“Ja?”

“Wenn ich vor dir Symptome entwickele, wirst du dann meine Memoiren beenden? Dann, wenn ich die letzten Tage nicht mehr selbst schreiben kann.”

“Was ist, wenn wir beide zur gleichen Zeit Symptome bekommen?”

“Dann werde ich Fen bitten, es zu beenden.” Lin begann leise zu weinen.

Chen umarmte sie und küsste ihr Haar. “Was ist los? Warum weinst du?”

“Ich habe Angst.”

“Wovor?” fragte Chen.

“Davor, dass wir sterben!”

“Es wird nicht so schlimm werden, wie du dir das vorstellst. Ich sehe jeden Tag tote Menschen. In ihnen scheint viel mehr Friede zu sein, als in uns”, antwortete Chen. Aber Lin liefen die Tränen nur so über die Wange.

“Hey, hey, ist schon gut.” Chen setzte sich auf einen Stuhl, griff nach Lins Hand und zog sie auf seinen Schoß. “Du brichst unsere Regel. Wir wollten nicht über den Tod sprechen. Lassen wir die Zukunft entscheiden. Oder wir finden vielleicht einen Weg, von hier wegzukommen, bevor uns das Virus umbringt.” Chen starrte ins Leere, als malte er sich diesen Tag in Gedanken aus.

“Wovon redest du? Wie sollte uns das gelingen?”

“Ich bin mir nicht sicher, noch nicht. Ich sagte ja, vielleicht.”

“Ich mag es nicht, wenn du so vage redest.” Lin legte ihren Kopf an Chens Schulter. Er lächelte und lehnte sich sanft dagegen, um es ihr bequem zu machen. Er streichelte erneut ihr Haar. Es war weich und seidig. Lin hob ihren Kopf und sah Chen in die Augen. Er beugte sich zu ihr und strich sanft mit seinem Finger über ihre Wange.

“Küss mich”, flüsterte Lin ihm zu und schloss ihre Augen.

Chen berührte ihre Lippen mit seinen.

Fen beendete ihre Schicht auf der medizinischen Station um 19 Uhr. In letzter Zeit hatte sie es immer eilig, die Krankenstation zu verlassen. Sie hatte eine neue freiwillige Aufgabe am Abend übernommen. Sie und Doktor Zhang Ehefrau kümmerten sich um die Waisenkinder des Lagers, um diejenigen, die ihre Eltern durch das Virus verloren hatten. Diese Kinder waren sich selbst überlassen, vor allem, weil das Virus die Erwachsenen stärker angriff als die Kinder. Fen hatte die meisten Eltern gekannt. Sie waren ihre Patienten gewesen. Viele von ihnen hatten gewusst, dass sie bald sterben würden, und machten sich schreckliche Sorgen um das Leben ihrer Kinder. Gab es jemanden, der sich um sie kümmern, sie ernähren und am Leben erhalten würde? Fen erinnerte sich deutlich an die Mutter des ersten verwaisten Kindes. Wenige Minuten vor ihrem Tod, mit ihren letzten Atemzügen, die sie hatte, flehte sie Fen an, sich um ihre Tochter Mei zu kümmern. Sie nahm Fen das Versprechen ab, für Meis Wohlergehen zu sorgen. Fen hatte getan, was alle mitfühlenden und freundlichen Krankenschwestern getan hätten: Sie beruhigte ihre Patientin und versprach ihr, dass sie sich um die Tochter kümmern würde.

Nur wie? Tagsüber war Fen auf Station beschäftigt. Sie brauchte also jemanden, der ihr half. Zumindest, während sie arbeitete. Als Fen die Frau des Doktors bat, sie zu unterstützen, sagte diese sofort zu und sorgte dafür, dass Mei tagsüber gefüttert wurde. Jeden Tag nach der Arbeit eilte Fen ihr zu Hilfe. Sie übernahm Mei und fütterte das kleine Mädchen, wusch es und legte es schlafen. In den ersten Tagen fragte die Kleine ständig nach ihrer Mutter. Jedes Mal musste Fen lügen und erzählte ihr, dass sie bald zurück sein würde. Am schlimmsten war es zur Schlafenszeit. Mei war es gewohnt, einzuschlafen, nachdem ihre Mutter ihr das Schlaflied gesungen hatte. Das letzte Mal, dass Fen ein Schlaflied gehört hatte, war Jahre her. Also brachte Mei Fen das Schlaflied in der ersten Nacht bei. Sie sang es so oft für sich selbst, bis sie schließlich eingeschlafen war. Mei war ein wunderschönes und süßes Mädchen. Fen würde nie das erste Mal vergessen, als sie in ihren Armen eingeschlafen war. Die Kleine war gerade groß genug, um ihre Arme auszufüllen. In Fen wuchs das Gefühl, dass sie dieses kleine, schöne, unschuldige und zerbrechliche Geschöpf bis zum letzten Moment ihres Lebens beschützen würde.

Doch schnell war Mei nicht mehr das einzige Waisenkind im Lager. Mit Zunahme der Todesfälle stieg auch die Zahl der elternlosen Kinder massiv an. Im Moment hatten Fen und die Frau von Doktor Zhang sechs Kinder, um die sie sich kümmern mussten. Das kleinste war drei Jahre alt und brauchte permanent Aufmerksamkeit. Die beiden Frauen reichten nicht aus, um sich um alle zu kümmern. Fen ertrug den Gedanken nicht, die Waisenkinder des Lagers verloren oder hungrig in den Gängen vorzufinden.

Sie löste das Problem, indem sie die Bewohner des Lagers einlud, sich jeden Abend in der Haupthalle des Gebäudes zu treffen, um gemeinsam mit den Kindern zu essen. Wer wollte, konnte sich dann freiwillig um die Waisen kümmern. Sie wurde zur Organisatorin, Versorgerin und Betreuerin und das lag Fen im Blut. Seit sie sich erinnern konnte. Sogar während ihrer Kindheit, war sie so gestrickt gewesen. Sie war die Älteste in ihrer großen Familie mit fünf weiteren Geschwistern. Wenn ihre Eltern bei der Arbeit waren, war sie diejenige gewesen, die sich um ihre Geschwister gekümmert hatte. Später, als Krankenschwester, kümmerte sie sich um ihre Patienten ebenso akribisch und einfühlsam wie als ältere Schwester. Tatsächlich hatte sie sich für den Beruf der Krankenschwester entschieden, weil sie dort ihre fürsorglichen Neigungen ausleben konnte.

Vor ein paar Tagen hatten Fen und die Frau des Doktors Flyer geschrieben und sie an den Wänden in den Gängen des Lagers angebracht. Darauf luden sie alle, die wollten zum Abendessen in der großen Halle ein. Am ersten Tag waren nur die beiden Initiatoren, die Tochter des Doktors und die sechs Waisenkinder erschienen. Sie war sich nicht sicher, ob ihr Plan aufgehen würde, aber sie sah keine andere Möglichkeit. Sich um Kinder zu kümmern, war einer der stärksten menschlichen Instinkte. Wenn sie die Bewohner nicht überzeugen konnte zu helfen, waren sie dabei, ihre Menschlichkeit zu verlieren. Bald schloss Lin sich ihnen an und meldete sich freiwillig. Sie übernahm die Zeit mit den Kindern nach dem Mittagessen, wenn sie mit der Essensausgabe fertig war. Innerhalb kurzer Zeit entwickelten sich die Abendessen im großen Saal mit Fen, Lin, der Frau des Arztes und den Kindern zu einer Quelle der Freude. Es war der einzige Ort im Lager, an dem der fröhliche Klang spielender Kinder zu hören war. Ähnlich dem Klang den man auf Spielplätzen im Park hören kann. Das war die Magie, die Kinder umgab. Ganz gleich woher sie kamen und wo sie spielten, der Klang ihrer Spielweise war überall ähnlich und immer fröhlich. Langsam gesellten sich ein paar weitere Bewohner hinzu, die ihre Angst vor einer Ansteckung mit dem Virus überwinden konnten. So kamen fünf Freiwillige zusammen, und das war für den Moment genug.

Als Fen Mei an diesem Tag zum Abendessen in die Haupthalle brachte, dachte sie, es würde ein gewöhnlicher Abend werden. Sie würden ihr Abendessen zu sich nehmen und die Kinder würden eine Stunde lang miteinander spielen. Gegen neun würde sie wahrscheinlich zurück in ihrem Zimmer sein. Als sie in den Flur kam, waren Lin und Chen bereits da. In letzter Zeit waren sie fast die meiste Zeit zusammen. Sie spielten Verstecken mit den Kindern. Sobald Mei die beiden sah, spielte sie mit.

“Tante Lin, ich will auch mitspielen!”

“Okay, dann geh und versteck dich. Ich zähle bis zehn. Eins...Zwei...”

Mei rannte auf Fen zu. “Ich weiß nicht, wo ich mich verstecken soll.”

Fen lächelte. “Versteck dich hinter mir. Dort wird sie dich nie finden.”

Mei sprang hinter Fen und rief: “Ich verstecke mich. Komm und finde mich, wenn du kannst.”

Lin, Chen und Fen lachten laut auf. “Schhhh, du solltest sie nicht rufen, während du dich vor ihr versteckst. Dann weiß sie, wo du bist und läuft dir hinterher”, flüsterte Fen Mei zu.

“Und zehn.” Lin hörte auf zu zählen: “Okay, versteckst du dich gut? Ich mache die Augen auf”, sagte Lin laut, so dass alle Kinder, die in der Halle verstreut waren, sie hören konnten.

Die Älteren versteckten sich unter Tischen und hinter Türen. Die Kleinen bedeckten ihre Augen, weil sie dachten, wenn sie Lin nicht sehen konnten, konnte diese auch sie nicht sehen. Es war eine lustige Szene. Lin tappte durch den Raum und tat so, als ob sie nach den Kindern suchen würde.

Während sie spielten, sah Fen die Frau von Doktor Zhang, die gerade Essensboxen auf den Tischen verteilte. Mit den Kindern waren sie insgesamt zehn in der Halle. Fen lächelte ihr zu.

“Wir werden jeden Tag mehr”, sagte Fen.

“Ja, das war eine gute Idee von dir. Wir werden wie eine Familie”, antwortete sie.

“Es ist schade, dass Ihr Mann nicht dabei sein kann. Er musste auf der Krankenstation bleiben. Wir haben zwei Patienten in kritischem Zustand.”

“Wir sind zusammen in ein und demselben Gebäude eingesperrt, und manchmal sehe ich ihn seltener, als wenn wir außerhalb des Lagers wären. Es ist schon komisch. Manchmal vermisse ich ihn hier drin sogar noch mehr.”

Fen lächelte. “Nichts in unserem Leben ist wie früher. Wenigstens haben wir uns jetzt und können unser Abendessen gemeinsam genießen.”

Während Fen der Frau des Arztes mit den Essensboxen half, folgte ihr Mei wie ein Schatten. Sie verbarg sich hinter ihr, da Lin immer näher kam.

“Ahhhh, sieh mal, wen ich hier gefunden habe. Da ist doch jemand hinter Fen!” Lin sprach mit künstlich tiefverstellter Stimme.

Mei, die aufgeregt war und vor Angst zitterte, dass Lin sie fand, rief: “Ich bin nicht hier. Geh und sieh auf der anderen Seite des Raumes nach.”

Alle brachen in herzhaftes Gelächter aus. Sie war so süß und entzückend in ihrem Spiel. Aber offenbar verstand sie die Regeln nicht.

“Okay, okay, das ist genug gespielt. Kommt, die Boxen stehen auf dem Tisch. Das Essen wartet auf euch.” Es war Frau Zhang, die allen verkündete, dass die Zeit zum Essen gekommen war. Die hungrigen Kinder eilten herbei und versammelten sich um den Tisch. Zwar bekam jeder nur eine begrenzte Menge Essen, aber es war genug für alle da. Lin und Fen halfen den jüngeren Kindern, beim Essen. Sie waren immer noch in Spiellaune, was sie leicht ablenkte. Jedes Mal mussten Lin und Fen die Kinder davon abhalten zu quasseln oder Grimassen zu schneiden. Sie mussten sie daran erinnern, dass nun gegessen und nicht gespielt wurde. Anschließend hatten sie Zeit, noch ein bisschen zu spielen. Seit dem Essen waren noch keine zehn Minuten vergangen, als draußen plötzlich etwas Großes auf den Boden schlug. Alle schauten zum Fenster. Es war völlig dunkel. Sie konnten nichts sehen.

“Was war das?” Fen war die Erste, die ihre Sprache wiederfand.

Niemand antwortete, und schließlich sagte Chen: “Was auch immer das war, es war sehr groß und sehr nah. Ich sehe es mir mal an.”

Fen und Chen gingen hinüber zum Fenster. Die Kinder wurden neugierig, als sie die verwirrten Blicke der Erwachsenen wahrnahmen und wollten ihnen zum Fenster folgen. Aber die Frau von Doktor Zhang hielt sie auf dem Weg dorthin auf. “Wo wollt Ihr hin? Zurück zum Tisch. Fen und Chen werden sich das ansehen.”

Die Kinder gingen enttäuscht zurück auf ihre Plätze. Fen und Chen standen am Rand des Fensters und schauten in die Dunkelheit hinaus. Da lag etwas Sperriges ein paar Meter entfernt auf dem Boden. Sie beobachteten es ein paar Sekunden, und dann schauten sie sich beide an.

“Chen, siehst Du was ich sehe? Ist das etwa ein...” Fen wollte gerade ihren Satz beenden, als Chen sie unterbrach.

“Ja, ich glaube schon. Ich gehe nach draußen, um sicher zu gehen.” Er verließ das Zimmer.

Fen wurde blass. Eine Minute später war Chen draußen und stand nahe an dem dunklen Objekt. Er drehte es um. Und jetzt war klar, um was es sich handelte. Es war der Körper eines Mannes, mit zur Seite ausgestreckten Armen. Chen beugte sich über ihn und überprüfte den Puls. Dann blickte er zu Fen, die in der Halle am Fenster stand. Er schüttelte den Kopf und ging von der Leiche weg, zurück zum Gebäude.

Fen drehte sich zum Tisch. Alle, auch die Kinder, blickten sie an und warteten darauf, dass sie etwas sagte. Schließlich fragte ein kleiner Junge: “Was war das?”

Er muss fünf oder sechs Jahre alt gewesen sein. Fen schaute direkt in seine neugierigen, unschuldigen Augen. Er wusste nichts über diese Welt, und Fen hatte es nicht eilig, dem Kind zu zeigen, wie schrecklich sie sein konnte. Er hatte genug Zeit, es eines Tages selbst herauszufinden. "Nichts, jemand hat aus Versehen eine schwere Tasche voller Zeug aus dem Fenster geworfen. Sie wird gleich abgeholt. Macht euch keine Sorgen. Esst weiter."

# 11

Als Chen und zwei andere Bewohner die Leiche des Mannes, der aus dem Fenster gesprungen war, auf die Krankenstation brachten, war Doktor Zhang gerade mit einem anderen Patienten beschäftigt. Es war das dritte Mal in dieser Nacht, dass der Blutsauerstoffwert des Patienten unter einen kritischen Wert fiel. Das könnte zu dauerhaften Schäden am Gehirn führen. Doktor Zhang hörte, wie die drei die Station mit dem Verletzten betraten. Sie polterten herein und baten um Hilfe. Doktor Zhang konnte seinen Patienten nicht verlassen und hoffte, dass eine Krankenschwester frei sein würde, um sich zu kümmern. Ein paar Minuten später wurden die Geräusche im Korridor durch das leise und regelmäßige Piepen eines Gerätes ersetzt.

Als Doktor Zhang den Zustand seines Patienten endlich stabilisiert hatte, ging er auf den Flur, um nach der Ursache der Geräuschkulisse zu suchen. Chen saß auf einer Bank und starrte ausdruckslos geradeaus.

“Was ist hier los?” fragte Doktor Zhang.

“Ein Mann, einer der Neuankömmlinge, ist aus dem Fenster des fünften Stocks gesprungen”, antwortete Chen.

“Und? Wo ist er jetzt? Wie geht es ihm?”

“Er ist tot. Eine Schwester hat nach ihm gesehen. Wir haben seinen Körper in die Leichenhalle gebracht, um ihn morgen mit den anderen Leichen zu verbrennen.” Chens Stimme klang ruhig. “Ich war die Person, die ihn gefunden hat, kurz nachdem er auf dem Boden aufgeschlagen war. Er war sofort tot. Er schlug mit dem Gesicht auf den Boden auf. Es war völlig zertrümmert. Wir haben nicht einmal einen Schrei gehört, nur einen lauten, dumpfen Aufprall. So als ob er keine Angst gehabt hätte, selbst in den letzten Sekunden seines Lebens nicht. Er schien das Ende herbeigesehnt zu haben. Ich glaube, er war sich sicher, dass das, was auch immer danach kommt, wäre besser als sein jetziges Leben.”

Doktor Zhang setzte sich neben Chen und legte ihm eine Hand auf die Schulter. “Chen, wir alle haben unsere Grenzen. Wir können nicht jeden hier beschützen. Einige von uns haben eine niedrigere Toleranzgrenze. Es gibt nicht viel, was wir tun können.”

“Aber wir können nicht einfach da sitzen und zusehen, wie es allen in diesem Lager immer schlechter geht. Wir müssen etwas für sie tun.” Seine Stimme wurde lauter, er zitterte vor Wut. “Nicht nur für sie, sondern auch für uns selbst. Ich weiß nicht, wie lange ich das noch ertragen kann, bevor ich selbst verrückt werde.”

“Ich weiß. Alle paar Tage haben wir hier Selbstmordkandidaten. Dieser Mann war der dritte diese Woche. Die anderen beiden hatten Glück und haben überlebt. Einer von ihnen hat sich die Adern aufgeschnitten, und wir mussten eine Mini-OP durchführen und die Blutung stoppen. Aber ich wüsste nicht, was wir sonst noch für sie tun können. Ich bin kein Psychologe. Selbst wenn wir welche hier hätten, wäre ich mir nicht sicher, ob und wie sehr sie uns in dieser Lage helfen könnten."

An diesem Tag beschloss Doktor Zhang zum zweiten Mal, die direkte Telefonleitung zu nutzen, um mit Kapitän Tu zu sprechen. Als der Soldat schließlich die Verbindung zu seinem Vorgesetzten hergestellt hatte, verschwendete Doktor Zhang keine Zeit.

"Haben Sie von dem Vorfall letzte Nacht gehört?" fragte er.

"Ja. Er hätte es nicht überleben können. Habe ich Recht? Die diensthabenden Soldaten, haben einen Bericht erstellt. Sie sagten, er hat nicht gezögert. Sobald er an den Rand des Fensters kam, sprang er ab. Niemand konnte etwas tun."

"Ja, nicht für ihn, aber für den Rest der Menschen können wir etwas tun."

"Was? Ich könnte ein paar meiner Leute schicken, die Metallgitter an den Fenstern anbringen", schlug Kapitän Tu vor.

"Nein, das reicht nicht. Es gibt viele Wege, Selbstmord zu begehen. Die psychische Gesundheit der Bewohner wird jeden Tag schlechter. Es ist mittlerweile normal, dass wir pro Woche ein oder zwei Patienten mit verschiedenen Selbstverletzungen auf die Krankenstation bekommen. Manche, weil sie Selbstmord begangen haben, manche indirekt, weil sie sich geweigert haben, ihre Arbeit zu verrichten und mit Elektroschocks bestraft wurden. Andere verweigern das Essen. Wir können so nicht weitermachen! Je mehr solcher Vorfälle passieren, desto mehr ermutigt das die Bewohner es diesen armen Menschen gleichzutun. Wir brauchen hier Antidepressiva und Medikamente gegen Angstzustände. Die Leute müssen mit einem Psychologen sprechen können. Vor allem aber brauchen sie dringend irgendeine Art von Hoffnung. Auch wenn es eine falsche ist. Nur Sie können sie ihnen geben. Sagen Sie ihnen einfach, dass es erfolgversprechende Nachrichten hinsichtlich einer Behandlung gibt. Versichern Sie den Bewohnern, dass sie aus dem Lager entlassen werden, sobald sich das bestätigt - irgendetwas jedenfalls, woran sie sich festhalten können, irgendetwas, das sie glauben lässt, dass es sich lohnt, am Leben zu bleiben."

Kapitän Tu war still. Leider war es nicht möglich am Telefon seine Gedanken zu lesen. Doktor Zhang fuhr fort. "Bitte, ich flehe Sie an. Ich weiß, dass Sie zumindest einige von uns am Leben erhalten wollen. Worin besteht sonst der Sinn? Tun Sie wenigstens das, was Ihnen aufgetragen wurde, lassen Sie uns so lange wie möglich leben. Ich flehe Sie an, Kapitän."

Nach wie vor herrschte Stille am anderen Ende der Leitung. Schließlich begann Kapitän Tu zu sprechen. "Meine Mission ist es, zu verhindern, dass sich dieses Virus auf den Rest der Bevölkerung ausbreitet, und ich habe den Befehl, Sie innerhalb des Lagers zu halten. Nicht mehr und nicht weniger. Ich werde mit meinen Vorgesetzten über Ihre Vorschläge sprechen und sehen, was ich tun kann."

Es war zu Beginn des zweiten Monats im Lager, als Kapitän Tu in seinem Befehlston dafür sorgte, dass sich alle in die

Haupthalle begaben. Als sich alle versammelt hatten, begann er mit seiner Rede.

“Guten Tag alle zusammen. Sie sind nun alle seit mehr als einem Monat hier. Ich hatte gehofft, dass Sie sich in Ihr neues Leben hier im Lager eingewöhnen würden. Leider verlieren wir, wie Sie wissen, jeden Tag viele von Ihnen an dieses Virus. Wir tun unser Bestes, um Ihnen die Zeit, die Sie hier sein müssen, so erträglich wie möglich zu machen. Unsere Wissenschaftler arbeiten Tag und Nacht daran, eine Behandlung für diese Krankheit zu finden. Aber bis wir eine Lösung gefunden haben, müssen wir zusammenarbeiten, damit es hier friedlich bleibt.”

Doktor Zhang stand in der Ecke des Saals und lächelte und dachte: “*Endlich. Ein bisschen Sicherheit. Das ist genau das, was alle jetzt brauchen. Einen kleinen Hoffnungsschimmer, einen Lichtstrahl am Ende des Tunnels, bevor alle verzweifelt aufgeben.*

Während Doktor Zhang über das Gesagte sinnierte, fuhr Kapitän Tu fort. “Wir verstehen, dass die Ungewissheit, ob und wann Sie Symptome entwickeln, Ihnen enorme Angst bereitet. In den letzten zwei Wochen haben sich einige von Ihnen selbst verletzt oder Selbstmord begangen. Das darf so nicht weitergehen. Das stresst die Bewohner und übt viel Druck auf das Krankenhauspersonal aus. Deshalb haben wir nach langer Diskussion mit unserem medizinischen, psychologischen und logistischen Team beschlossen, Ihnen selbst die Wahl zu überlassen: Wir stellen Ihnen eine Methode zur Verfügung , die Ihr Leben beendet. Mit dieser Methode werden Sie während des Eingriffs keine Schmerzen verspüren. Es hilft uns, unsere begrenzten medizinischen Ressourcen im Lager für die Patienten vorzuhalten, die wirklich am Leben bleiben wollen. Wir schlagen vor, dass Sie alle Aspekte Ihrer Entscheidung in Ruhe überdenken und genau abwägen. Wenn Sie dann am Ende zu dem Schluss kommen, dass Sie Ihr Leben beenden möchten, gehen Sie auf die medizinische Station und bitten darum. Das Personal ist verpflichtet, das für Sie zu tun. Auf diese Weise ist alles unter Kontrolle, und Sie erhalten das, was Sie für nötig erachten im Rahmen einer angemessenen Methode. Das war's fürs Erste . Sie können zu Ihrem normalen Tagesablauf zurückkehren."

Der Lautsprecher schaltete sich aus. Einige Bewohner schienen starr vor Angst, andere waren schockiert. Doktor Zhang wurde wütend. Er fand eine der Kameras im Flur und schrie hinein: "Ihr seid Monster! Ich habe euch gebeten, ihnen Hoffnung zu geben, und Ihr kommt mit dieser abscheulichen Option! Bis jetzt dachte ich, Ihr würdet nur Eurer Pflicht nachkommen. Aber jetzt bin ich mir sicher, dass Ihr alle kranke Menschen seid und es genießt, uns hier beim Sterben zuzusehen." Doktor Zhangs Stimme war laut geworden. Er zitterte vor Wut. Schließlich brachte ihn seine Frau zum Schweigen und führte ihn aus dem Saal.

"Hast du davon gewusst?" fragte Lin Fen.

"Nein. Glaubst du, die beraten sich mit uns über ihre bösen Absichten?" antwortete Fen.

"Ist es wirklich schmerzlos?"

"Ja, es beginnt mit der Bewusstlosigkeit und wird beendet, während die Person in einer Art Koma liegt."

"Fen, glaubst du, dass sich jemand freiwillig melden wird?" fragte Chen.

“Ja. Ich denke manchmal, wenn man fürchterlich verzweifelt ist, klingt so etwas wie die beste Option. Auch außerhalb des Lagers, wenn Menschen an ihre Belastungsgrenze kommen, wenn ihre Karriere den Bach runtergeht oder sie einen geliebten Menschen verlieren, suchen sie manchmal nach dieser Art von Lösung. Der Unterschied besteht darin, dass außerhalb dieses Lagers jeder versuchen würde, das zu verhindern. Zumindest würde man es den Menschen so schwer wie möglich machen. In diesem Gefängnis jedoch ist es nun legal geworden. Das zeigt: Nichts ist für sie weniger wichtig als unser Leben. Wenn ihr euch also wirklich an ihnen rächen wollt, dann versucht, diese Hölle zu überleben.”

“Aber wirst du das machen? Hast du es schon einmal Menschen in den Tod geholfen?” fragte Chen.

“Nein, niemals.” Fen beschleunigte ihre Schritte und verließ die Gruppe. Dann fuhr sie fort: “Aber ich muss es jetzt tun.”

Als sie sich etwas von ihnen entfernt hatte, verfolgten Chen und Lin sie mit ihren Augen.

“Das muss verheerend für sie sein”, sagte Lin.

An diesem Tag verließ Doktor Zhang früh die Krankenstation. Nach dem Abendessen brachte er seine Tochter ins Bett. Seine Frau war gerade dabei, die Teller abzuwaschen.

“Kannst du kommen und dich einen Moment setzen?”, bat er seine Frau.

Sie hielt in der Bewegung inne, wusch sich die Hände und setzte sich auf einen Stuhl ihm gegenüber.

“Was ist denn los?”

“Wir haben nie darüber gesprochen. Aber ich möchte dir sagen, wie leid es mir tut, dass du und unsere Tochter hier sein müsst. Wenn ich einen anderen Beruf hätte, würdet Ihr jetzt wahrscheinlich euer normales Leben führen können”, sagte Doktor Zhang.

“Das ist nicht deine Schuld. Ich mache dir keine Vorwürfe. Ich wünschte nur, das alles wäre nie passiert. An manchen Tagen frage ich mich, warum nur? Warum wir? Und ich finde keine Antwort. Und sie lässt sich auch nicht finden. Wie Vieles im Leben ist es passiert, und wir haben keine andere Wahl. Wir müssen es durchstehen.”

“Ja, das stimmt. Jeden Abend, wenn ich einschlafe, hoffe ich, dass mich am nächsten Tag jemand aufweckt, um mir zu sagen, dass das alles ein Albtraum war. Aber wenn ich die Augen öffne, erinnert mich die graue Zimmerdecke daran, dass ich in diesem Lager bin, und wenn ich auf die Krankenstation gehe und die Patienten sehe, kann es realistischer nicht sein.”

“Glaubst du, dass wir eine Chance haben, das zu überleben und zu unserem normalen Leben zurückzukehren?” fragte sie.

“Ich weiß es nicht. Es könnte ein oder zwei Jahre dauern, bis sie eine Therapie gegen das Virus finden. Und selbst wenn sie eine finden, braucht es zusätzlich Zeit, um sicherzustellen, dass wir nicht ansteckend sind. Darin besteht unsere einzige Chance, falls wir das Virus überhaupt überleben. Ich will ehrlich zu dir sein. Die Chance, dass wir alle überleben, ist sehr gering”, sagte er.

Die Frau von Doktor Zhang begann zu weinen. “Was sollen wir bloß tun? Was ist, wenn nur einer von uns überlebt? Was ist, wenn nur unsere Tochter überlebt? Wie soll sie alleine weiterleben können? Wenn ich mir die Waisenkinder des Lagers ansehe und daran denke, dass das auch das Schicksal unserer Tochter sein könnte, bricht es mir das Herz. Es gibt keine einzige Nacht, in der ich nicht darüber nachdenke.”

Doktor Zhang umarmte seine Frau. “Ich weiß.” Er hatte keine tröstenden Worte für sie. “Sieh mich an. Ich weiß, es ist grausam, das zu verlangen. Du hast das Recht zu entscheiden, wie jeder andere auch. Aber ich muss das von dir wissen. Was denkst du über die heutige Ankündigung?”

Sie verschwendete keine Zeit mit ihrer Antwort. “Ich will all die Zeit genießen, die mir mit dir und unserer Tochter bleibt. Ich hatte das Glück, dich kennenzulernen und mit dir zusammen unsere Tochter zu bekommen. Ich werde das Leben, das wir uns aufgebaut haben, nicht einfach wegwerfen. Wir werden das gemeinsam überleben, oder zumindest gemeinsam dagegen ankämpfen.”

Doktor Zhang umarmte seine Frau ganz fest. Das war eine große Erleichterung für ihn. Er war sich seiner Sache sicher. Er wusste, dass er selbst ein Kämpfer war, aber er hatte noch nie mit seiner Frau über so etwas Ernstes gesprochen. Als Arzt hatte er sich immer wieder Gedanken zu diesem Thema gemacht. Vor langer Zeit hatte er ein Buch gelesen, indem jeder, auch völlig gesunde Menschen, ermutigt wurden, sich der Thematik anzunehmen und mit ihrem Umfeld über die Tage im Leben zu sprechen, an denen sie alt oder krank werden würden. Es war wichtig zu wissen, was mit ihnen passieren sollte, wenn sie in einem kritischen Zustand waren oder unter starken Schmerzen litten. Wollten sie dagegen ankämpfen oder das Schicksal annehmen und sich von den Schmerzen befreien lassen? Das Buch empfahl nicht die eine Lösung. Wichtig war, dass man für sich selbst entschied, wie lange man völlig gesund war, sowohl körperlich als auch geistig. Doktor Zhang hatte in seiner Zeit beide Gruppen von Menschen erlebt: Diejenigen, die bis zum letzten Moment kämpfen wollten und diejenigen, die es vorzogen, sich und ihre Familien von all dem Leid zu befreien. Bislang hatte er die Tatsache verdrängt, dass der Tod auch ihm und seiner Familie nahe kommen konnte. Wie viele andere wollte er den Tod so weit wie möglich von sich wegschieben. Er sollte eine seltene Sache sein, die nur wenige Menschen betraf. Aber jetzt, in diesem Lager, war der Tod allgegenwärtig. Jetzt, da er wusste, dass seine Frau ebenfalls eine Kämpferin war, machte ihm das die Sache leichter. Sie würden bis zum letzten Moment kämpfen. So lange, bis sie zu ihrem normalen Leben zurückkehren konnten.

~

Ein paar Tage nach der Ankündigung kam eine Familie mit zwei Kindern auf die medizinische Station, um gemeinsam ihre letzte Reise anzutreten. Eines der Kinder war acht Jahre alt und lag bereits seit einer Woche im Krankenhaus. Es war an die Beatmungsmaschine angeschlossen, und die Symptome wurden von Tag zu Tag schlimmer. Die Eltern waren deswegen bekannte Gesichter auf der medizinischen Station. Als sie die Station betraten, dachte Fen, sie kämen auch an diesem Tag um ihren Sohn zu besuchen. Aber dieses Mal erschienen sie zu dritt, gemeinsam mit ihrer fünfjährigen Tochter. Sie baten darum, mit Doktor Zhang zu sprechen. Der Vater war so um die Vierzig. In seinem früheren Leben außerhalb des Lagers war er ein Elektrotechniker gewesen. Doktor Zhang kannte ihn; er kam von Zeit zu Zeit ins Krankenhaus, um die Instrumente zu reparieren. Sobald sie sich in Doktor Zhangs Büro gesetzt hatten, fing der Mann an zu sprechen.

“Wir sind hier, um Sie zu bitten, unseren Schmerz zu beenden. Unser Sohn leidet jeden Tag. Als er das letzte Mal bei Bewusstsein war, hat er die gesamte Zeit geweint. Er war zu Tode erschrocken und wollte, dass wir ihn mitnehmen. Meine Frau ist in keiner besseren Situation. Sie spricht und isst kaum noch. An den meisten Tagen habe ich das Gefühl, dass sie gar nicht mehr auf dieser Welt ist. Wir wissen nicht, wann sich die Symptome zeigen werden. Bald werden wir alle, einer nach dem anderen, in der gleichen Lage sein wie mein Sohn. Wir können es nicht ertragen, uns gegenseitig auf so schmerzhafte Weise zu verlieren. Was passiert dann mit der letzten Person, die übrig bleibt? In diesem Gefängnis gibt es keine Zukunft, kein Glück und keine Hoffnung. Wir möchten, dass Sie den angekündigten Prozess für uns durchführen.”

“Habt Ihr genau darüber nachgedacht? Sie sind beide erwachsen und können entscheiden, aber was ist mit Ihrem Mädchen?” Doktor Zhang schaute auf das Kind, das mit seinen Puppen spielte. Er sprach weiter. “Wollen Sie ihr nicht die Chance geben, so lange zu leben, wie es nur geht?”

“Das ist doch kein Leben. Wir überleben die Tage gerade mal so. Jeden Moment warte ich darauf, dass ein anderer von uns die Beatmungsmaschine braucht. Selbst wenn meine Tochter überlebt, wird sie nie ein normales Kind sein, nach all dem Trauma, das sie in den letzten Wochen gesehen hat. Sie wird froh sein, dass wir die Entscheidung für sie getroffen haben und nicht sie das tun musste.", antwortete der Mann.

"Was ist mit Ihnen, Madam? Sind auch Sie sich sicher mit Ihrer Entscheidung?"

Die Frau zögerte eine Sekunde. Dann sagte sie: "Ja, das bin ich. Ich bin eine Mutter. Ich kann nicht mit ansehen, wie meine Kinder vor meinen Augen ersticken. Ich muss es jetzt gerade bei meinem Sohn miterleben. Ich könnte das kein zweites Mal ertragen. Selbst wenn meine Tochter überlebt, kann ich den Gedanken nicht ertragen, dass sie als Waise in diesem Lager allein zurückbleibt. Es ist für sie besser, in Frieden zu sterben, als weiter ein furchtbares Leben in diesem Lager zu führen."

Basierend auf den Richtlinien gab Doktor Zhang ihnen ein paar Stunden Zeit, ihre Entscheidung zu überdenken. Sie blieben dabei und kamen gleich am selben Tag zurück, um ihren Wunsch Realität werden zu lassen. Fen steckte sie in ein Zimmer auf der Krankenstation. Die Fünfjährige hatte keine Ahnung, was vor sich ging. Sie spielte weiter mit ihrer Puppe. Zehn Minuten später brachten sie das Bett des kranken Sohnes in das gleiche Zimmer. Er war nach wie vor bewusstlos. Fen half ihnen, sich vorzubereiten. Sie begannen mit den Kindern. Das Mädchen hatte Angst vor der Spritze. Ihre Mutter umarmte sie und versuchte, sie abzulenken. Fen machte die Spritze bereit. Sie war nervös; nach über zehn Jahren Arbeit als Krankenschwester war dies das erste Mal, dass ihre Hände zitterten, als sie die Spritze setzte. Das Mädchen saß auf dem Schoß ihrer

Mutter und erzählte mit ihr. Die Mutter hielt ihren Arm fest und signalisierte Fen, dass sie bereit war. Fen stieß die Nadel schnell in den Arm des Mädchens. Das Mädchen begann zu schreien und weinte hysterisch. Ihre Mutter versuchte, sie zu beruhigen, aber es gelang ihr nicht. Nach ein paar erfolglosen Versuchen fing die Mutter ebenfalls an zu weinen. Das Mädchen schrie laut, während die Mutter leise weinte. Fen konnte es nicht mehr ertragen und verließ den Raum.

Doktor Zhang setzte die Prozedur fort. Er gab dem Vater die zweite Spritze. Die Mutter versuchte immer noch, die Tochter zu beruhigen. Der Arzt gab ihrem bewusstlosen Sohn die dritte Spritze und wartete ein paar Minuten, bis das kleine Mädchen aufhörte zu schreien. “Sind Sie bereit, Madam?” fragte Doktor Zhang die Mutter.

Die Frau nickte. Doktor Zhang gab ihr die letzte Spritze. Dann betrachtete er sie schweigend. “Es wird nicht mehr lange dauern”, murmelte er leise, bevor er den Raum verließ.

Der Vater nahm die Hand seiner Frau in die eigene. “Willst du ein letztes Mal neben mir schlafen?” Die Frau nickte erneut. Sie legten sich dicht nebeneinander ins Bett, dicht neben den bewusstlosen Sohn. Die Tochter lag ebenfalls zwischen ihnen und bewegte sich. Die Mutter nahm ein letztes Mal die Hand ihres bewusstlosen Sohnes. Ein paar Minuten später zitterten sie schwach, und dann blieben sie alle still liegen.

General Xiong und Kapitän Tu überwachten den Vorgang über die im Raum platzierte Kamera. Die ganze Prozedur dauerte weniger als eine Viertelstunde. Das Mädchen spielte und sprach bis zu ihrem letzten Moment. Ein paar Schauer durchzuckten sie und dann war auch sie für immer still. General Xiong blickte wieder zu Kapitän Tu. “Wie oft haben sie das schon durchgeführt?”

“Einschließlich dieser Familie, insgesamt fünfzehn Mal, Sir”, antwortete der Kapitän.

“Ich bin mir nicht sicher, ob das hier die richtige Entscheidung war”, sagte General Xiong und verließ den Raum.

# 12

Nach einem Monat der Isolation, in der die Chance zu sterben größer war als die zu überleben, offenbarten die Menschen im Lager ihre reinen Urinstinkte. Im normalen Leben neigen die Menschen dazu, ihre Gefühle, Gedanken und Wünsche für sich zu behalten. Die meisten von ihnen haben eine Art Rechenmaschine im Kopf. Bei jeder Interaktion kalkulieren sie, wie diese ankommt und was ihre Mitmenschen über sie denken, wenn sie rauslassen, was sie wirklich fühlen. Sie bewerten ständig, ob ein bestimmtes Verhalten ihrem Image hilft oder schadet, sie selbst überlegen oder minderwertig dastehen lässt. Es gibt verschiedene Gründe, warum sich Menschen so verhalten. Vielleicht wollen sie von der Gesellschaft akzeptiert werden, vor allem von Menschen, mit denen sie in direktem Kontakt stehen. Manche Menschen zeigen eine völlig andere Reaktion auf ein bestimmtes Ereignis, je nachdem, in wessen Gegenwart sie sich befinden. Sind diese mehr oder weniger stark? Handelt es sich um einen engen Freund oder einen völlig Fremden? Die Rechenmaschine im menschlichen Gehirn hört niemals auf zu arbeiten. In jedem Moment wägt sie sämtliche Aspekte des sozialen Lebens ab und bringt den Menschen manchmal dazu, sich auf eine Weise zu verhalten, die sehr weit von seiner eigentlichen Absicht entfernt ist.

Das führt dazu, dass Menschen sich eine Art Panzer anlegen, eine Fassade, um ihre wahren Gefühle und Absichten zu verbergen. Dieser hilft, sich selbst davor zu schützen, ihre echten Gedanken vor allen zu präsentieren. Aber jede Person hat seltene Episoden im Leben, die sie dazu verleiten, ihr Gewissen beiseite zu legen. Das geschieht meist, wenn sie extreme Gefühle durchleben, wenn sie massiv glücklich oder traurig sind. In diesen Momenten berühren die Menschen für einen kurzen Augenblick ihre wirklichen Gefühle. Manchmal stoßen sie dabei auf etwas, was schön und sensibel oder aber auch entsetzlich und hässlich ist.

Der Tod, oder die Angst davor kann ein weiterer Auslöser für den Menschen sein, sein wahres Ich zu offenbaren. Steht der eigene Tod kurz bevor, gibt es keinen Grund mehr für Kalkül. Manche werden in so einer Situation selbstlos. Es handelt sich um Menschen, die in einer Krise das opfern, was sie haben; sogar sich selbst - Menschen beispielsweise, die auf ein Feuer zulaufen, um andere zu retten, oder Soldaten an der Frontlinie, die auf den Feind zulaufen.

Für andere ist die Anwesenheit von Tod oder Chaos im Alltag eine Chance, alle Arten von Anstand, Regeln und dem eigenen Gewissen zu verwerfen. Diese Menschen denken, wenn sie sowieso sterben müssen, ist es besser, so zu handeln, wie sie das schon immer tun wollten, ohne auf Regeln und soziale Normen achten zu müssen. Das führt dazu, dass Menschen mitten in Protesten zu Dieben und Soldaten mitten im Krieg zu Vergewaltigern werden.

Lin wurde das Opfer eines solchen Menschen. Wie an jedem Tag verteilte sie auch an diesem Tag das Essen in der Haupthalle des Lagers an die Bewohner. Alle standen in einer Reihe, um ihr Essen entgegenzunehmen. Am Ende der Schlange erkannte Lin den unheimlichen Mann, auf den sie bereits am ersten Tag getroffen war. Obwohl ihr seine Anwesenheit großes Unbehagen bereitete, hatte sie nach den Wochen im Lager gelernt, einfach ihn zu ignorieren. Er murmelte immer etwas in ihre Richtung, wenn er sein Essen von Lin bekam. Aber er war harmlos und ließ sie in Ruhe. Die meiste Zeit konnte Lin, bei all den Hintergrundgeräuschen nicht einmal verstehen, was genau er von sich gegeben hatte.

An diesem Tag war der Mann einfach still. Er starrte Lin die ganze Zeit an, während er in der Schlange wartete. Als er an der Reihe war, sein Essen zu bekommen, berührte er absichtlich ihre Hand. Sogar durch die Handschuhe hindurch fühlte sich Lin durch seine Berührung zutiefst beunruhigt und angewidert. Aber wenigstens hielt der Mann an diesem Tag seinen Mund und verließ sofort die Halle. Im Laufe der nächsten Stunde, die Lin noch zu tun hatte, vergaß sie ihn fast wieder. Einer nach dem anderen holten sich die Bewohner des Lagers ihr Essen ab. Einige aßen in der Halle, viele verließen den Raum, um ihr Essen in ihren Zimmern zu sich zu nehmen. Lin und das restliche Team der Essensausgabe brauchten eine weitere Stunde, um am Ende alles wieder aufzuräumen. Normalerweise ging Lin dann nachmittags entweder auf die medizinische Station, um Fen mit den Patienten zu helfen, oder zu Doktor Zhangs Frau, um sie mit den Waisenkindern zu unterstützen. An diesem Tag entschied sie sich für die Krankenstation. Sie hatten ein paar Freiwillige gefunden, die Doktor

Zhangs Frau mit den Waisenkindern halfen. Leute für die Arbeit auf der Krankenstation zu finden, kam seltener vor. Dort erwartete die Menschen nichts, außer der Anblick von Schmerz und Tod.

Lin verabschiedete sich lautstark von allen in der Halle und verließ den Raum. Der Korridor des Erdgeschosses wimmelte von Menschen, die ihre Essensboxen in der Hand hielten. Die meisten von ihnen kannten Lin, verabschiedeten sich von ihr oder nickten ihr mit dem Kopf freundlich zu. Lin nahm die Treppe und betrat den Korridor im ersten Stockwerk. Anders als im Erdgeschoss war der Korridor menschenleer. Sie hörte, wie jemand hinter ihr ging. Nach ein paar Sekunden war sich Lin sicher, dass ihr Schritte folgten. Sie kamen näher und näher und plötzlich hörte sie jemanden mit leiser Stimme sprechen.

“Ich hätte nie gedacht, dass so hübsche Mädchen wie du krank werden können”, flüsterte der Widerling Lin zu.

Lin beschleunigte ihren Schritt und tat so, als hätte sie nichts gehört. Der Mann holte auf und legte seine Hand auf ihre Schulter, um sie am Weggehen zu hindern. “Hey, ich rede mit dir! Sei höflich, wenn jemand mit dir spricht”, knurrte er plötzlich. Aber in Sekundenschnelle kehrte er zu seiner ruhigen, unheimlichen Stimme zurück. “Du bist zu schön, um in der Essensausgabe zu arbeiten. Es gibt eine Menge Gelegenheiten; da kannst du einen besseren Job machen als hier.”

Lins Herz begann schneller zu schlagen. Sie musste sich unbedingt aus der Umklammerung des Mannes befreien. Wenn sie bis zum Ende des Korridors lief, wäre sie in Sicherheit. Dort befanden sich auf jeder Etage Kameras. Sie bewegten sich regelmäßig hin und her, um die verschiedenen Blickwinkel der Flure und Treppen aufzuzeichnen. Gerade jetzt zeigte die Kamera auf die Treppe, so dass der Korridor im toten Winkel lag. Dorthin zu laufen war also keine Option. Der Mann war dafür zu nah an ihr dran und konnte sie aufhalten, bevor sie es bis dorthin geschafft hatte. Sie musste sich für Plan B entscheiden: Dafür musste sie entweder so viel Lärm wie möglich machen, damit andere Leute auf sie aufmerksam wurden oder aber Zeit verlieren, bis die Kamera wieder in ihre Richtung filmte. Lin entschied sich für Letzteres. Sie drehte sich um und schaute dem Mann fest in die Augen. "Lassen Sie mich in Ruhe", sagte Lin, ihm gegenüberstehend und finster dreinblickend.

Im Gesicht des Mannes war keine Spur von Sorge zu erkennen. "Hör zu, ich habe einen Vorschlag für dich. Einen freundschaftlichen Deal. Ich übernehme alle deine Pflichten, und im Gegenzug bereitest du mir ein kleines Vergnügen. Ganz einfach."

Sie schob seine Hand von ihrer Schulter. "Ich sagte, lassen Sie mich in Ruhe!" Lin wandte ihr Gesicht von dem Mann ab und begann lässig wegzugehen, wobei sie so tat, als sei sie völlig unbeteiligt.

Der Mann, der ihre Reaktion nicht erwartet hatte, wurde wütend. Er rannte hinter ihr her, legte ihr beide Hände auf die Schultern und drückte sie gegen die Wand. Sein Gesicht war puterrot. Er stand direkt vor ihr, so nah, dass Lin seinen Atem auf ihrem Gesicht fühlen konnte.

"Hör mir zu, kleines Mädchen. Entweder du akzeptierst, was ich gerade gesagt habe, und wir genießen ein bisschen unsere Zeit hier, oder du kannst jeden Moment damit rechnen, dass ich dich in ein Zimmer zerre und mir mit Gewalt nehme, was ich will. Es ist deine Entscheidung." Er drückte sie brutal gegen die Wand, legte ihr eine seiner Hände um den Hals und drückte zu, bis Lin keine Luft mehr bekam. Ihr Gesicht begann sich dunkel zu verfärben. Schließlich ließ der Mann locker und öffnete seine Hand.

Lin musste stark husten. Ihr war schwindlig. Mit dem Rücken zur Wand sank sie langsam auf den Boden und hielt sich die schmerzende Stelle.

Der Kerl stand über ihr und blickte auf sie herab. "Vergiss nicht, was ich dir gesagt habe, hübsches Mädchen", sagte der Mann und ließ sie allein auf dem Boden liegen.

Lin saß ein paar Minuten lang einfach da und atmete schnell. Sie konnte nicht glauben, was gerade passiert war. Langsam fiel die Gewalt und das Trauma, das sie erlebt hatte, in sich zusammen, und sie brach plötzlich in Tränen aus. Sie hatte sich noch nie in ihrem Leben so bedroht und verängstigt gefühlt. Noch nie war sie so allein und ungeschützt gewesen. Ein paar Minuten lang konnte sie sich nicht bewegen. Ihre Beine hatten nicht mehr die Kraft, ihr Gewicht zu tragen. Sie wollte zu Chen oder Fen gehen, aber sie fühlte sich zu betäubt. Selbst die Menschen, die sie umarmen, trösten und beschützen würden, konnten nicht rückgängig machen, was vor wenigen Minuten geschehen war. Sie konnten ihr die Angst und das Grauen, das sie erlebt hatte, nicht nehmen. Sie musste da alleine durch.

Chen wollte sich gerade auf den Weg zur Krankenstation machen, um seine tägliche Routine zu verrichten: die serienmäßige Verbrennung von weiteren Leichen. In diesen Tagen war es für ihn zur Normalität geworden, jeden Tag einige Leichen zu verbrennen. Tatsächlich wurde es so zur Routine, dass er sich kaum klar machte, was er da Ekliges und Verstörendes tat, sondern darüber nachdachte, wann er

Lin nach seiner Schicht treffen konnte. Er war tief in seine Gedanken versunken, als er hörte, wie jemand schwach an seine Tür klopfte. Er öffnete die Tür. Lin stand da. Ihr Gesicht war aschfahl, und Tränen liefen ihr über die Wangen.

“Was ist passiert?” fragte Chen.

Lin zitterte und konnte kaum richtig sprechen. Sie deutete nach unten. Schließlich sagte sie mit zittriger Stimme: “Er.... er hat mich geschubst, gewürgt und bedroht.”

Chen schaute über sie hinweg in den Korridor. Dort war niemand. Er zog sie ins Zimmer und setzte sie auf sein Bett. “Beruhige dich und erzähl mir, was passiert ist.”

Die ersten Sätze war Lin nicht zu verstehen.. “Schieben, mich rufen, mein Hals, bedroht, meine Pflicht, schlafen.” Doch allmählich war sie besser in der Lage, zusammenhängende Sätze zu bilden und erzählte Chen die ganze Geschichte. Chen hörte ihr ruhig zu, stellte keine Fragen und unterbrach sie nicht. Am Ende wollte er nur wissen: “Wo ist sein Zimmer?” Sobald Lin ihm antwortete, rannte Chen hinaus und ließ Lin zurück. Wieder war sie allein. Eigentlich war sie zu Chen gekommen, um dort Trost zu finden, aber jetzt saß sie allein in Chens Zimmer, weinte und hatte nicht die Kraft, ihm zu folgen.

Chen fand das Zimmer des Mannes im zweiten Stock sofort. Die Tür war verschlossen. Chen stand draußen und lauschte einen Moment. Von drinnen hörte man den Mann singen. Chen klopfte an. Der Gesang hörte auf, und ein Mann öffnete die Tür. Chen erkannte ihn auf der Stelle. Es war derselbe, der Lin während der Mittagspause immer wieder belästigt hatte. Er war mittelgroß, weder dünn noch pummelig und mit einem sehr durchschnittlichen Gesicht ausgestattet. In der Tat schien alles an diesem Kerl sehr gewöhnlich und mittelmäßig zu sein. Basierend auf Lins Beschreibung hatte Chen ein eher böses und ekelhaftes Gesicht erwartet.

“Hast du Lin angefasst?”, stieß Chen hervor.

“Wer ist Lin?”

Chen war sich nicht sicher, ob der Typ wirklich ahnungslos war oder sich durch eine Lüge aus der Affäre ziehen wollte. “Das Mädchen, das bei der Essensausgabe arbeitet. Du solltest sie kennen. Du hast ihr gesagt, dass sie schön ist”, antwortete Chen.

“Ah, ja, achso ihr Name ist Lin. Das wusste ich noch gar nicht. Nun, ich habe vielleicht mit ihr gesprochen. Wieso willst du das wissen? Stellst du ihr auch nach? Keine Sorge, ich will sie nicht die ganze Zeit haben. Wir können sie uns teilen.”

Wut schoss in Chens Gesicht. Seine Lippen waren fest verschlossen und verengten sich zu einer schmalen Linie; sein Puls legte zu. Er starrte den Mann eine Sekunde lang an. Jetzt verstand er Lin; dieser Typ war ein ekelhafter Dreckskerl. Eine Sekunde später schlug er dem Mann mitten ins Gesicht. Dieser hatte den plötzlichen Angriff nicht erwartet und stolperte zurück. Es dauerte ein paar Sekunden, bis er sein Gleichgewicht wiedergefunden hatte.

“Hurensohn”, sagte er und holte aus. “Ich werde dir zeigen, wer hier das Sagen hat.”

Der Mann griff an. Chen wich den meisten Schlägen aus, dann packte er den Mann am Hals und schüttelte ihn kräftig. Der unheimliche Kerl war kleiner als Chen, aber stärker als gedacht. Er legte seine Arme ebenfalls um Chens Hals, und so stürzten sie gemeinsam auf den Boden. Der Mann trat Chen ein paar Mal in den Bauch. Dieser spürte einen scharfen Schmerz. Er löste seine Hände vom Hals des Mannes, packte schnell dessen Kopf und schlug ihn gegen die Wand. Seine Stirn begann zu bluten. Dennoch gelang es ihm weiter nach Chen zu schlagen. Einer dieser Schläge landete direkt in Chens Gesicht, nahe an dessen Augenbraue.

In der Zwischenzeit waren einige Bewohner, die den Lärm gehört hatten, aus ihren Zimmern gekommen, um die Ursache des Krachs herauszufinden. Sie fanden zwei Männer, die sich auf dem Boden wälzten und heftig miteinander kämpften. Keiner der Schaulustigen hatte die Absicht, sich einzumischen und die beiden zu trennen. Niemand wollte von den Kameras mitten im Kampf erwischt und für etwas bestraft werden, an dem er nicht beteiligt war.

Sobald Kapitän Tu den Kampf auf seinem Monitor bemerkte, lähmte er beide Männer durch Elektroschocks. Bald konnten sie ihre Beine nicht mehr bewegen. Aber der widerliche Mann wehrte sich nach wie vor und drosch mit weiteren Schlägen auf Chen ein, sobald die Impulse pausierten.

Kapitän Tu unterbrach frustriert seine Maßnahmen. Er befahl den Soldaten, die elektrische Ladung zu erhöhen und auf den Mann zu richten. Dieser fiel schreiend auf den Boden, begann heftig zu zittern und wurde auf der Stelle ohnmächtig.

Die danebenstehenden Bewohner, die die Szene schweigend beobachtet hatten, brachten beide Männer auf die Krankenstation. Der widerliche Mann war noch immer bewusstlos, und Chen blutete an mehreren Stellen im Gesicht und am Körper.

Im Behandlungszimmer bandagierte Doktor Zhang Chens Wunden. Seine Augenbraue musste mit drei Stichen genäht werden. Chen kochte weiterhin vor Wut. Zusammen mit seinem Schmerz entstand eine explosive Mischung.

"Ich kann so nicht weiter machen. Nicht genug damit, dass wir in diesem Gefängnis täglich in Todesangst leben, jetzt müssen wir auch noch diese Widerlinge ertragen. Hätte sich Lin mir nicht anvertraut, mag ich mir überhaupt nicht vorstellen, was dieses Stück Scheiße mit ihr gemacht hätte." Er blickte auf das Bett neben sich. Dort lag der andere immer noch im Koma und wurde von Maschinen versorgt. Zwei Krankenschwestern kümmerten sich um ihn.

"Warum musstest du dich mit ihm prügeln? Er hätte dich richtig fertig machen können", schimpfte Doktor Zhang.

"Was erwarten Sie von mir? Er hat Lin angegriffen, und ich habe die Kontrolle verloren. Nicht jeder ist so selbstbeherrscht wie Sie, Doktor. Ich habe da meine eigenen Werte", antwortete Chen.

Ein paar Stunden später konnte Chen die Krankenstation wieder verlassen. Sein Gegner war immer noch bewusstlos. Sein Zustand stabil. Doktor Zhang war zuversichtlich, dass er bald aus dem Koma erwachen würde.

Kapitän Tu berichtete General Xiong über den Kampf im Lager. "Sein Name ist Cong. Er macht immer wieder Probleme. Das ist nicht sein erstes Mal. Er ist resistent gegen die Bestrafungen. Er bringt sich, die anderen Bewohner und vor allem das Ziel dieser Mission in Gefahr. Ich weiß nicht mehr, wie ich ihn kontrollieren soll. Wir müssen ihn aggressiver angehen. Sonst verlieren wir bald die Kontrolle über das gesamte Lager", erklärte Kapitän Tu.

"Wir könnten ihn für eine Weile in Einzelhaft stecken", schlug General Xiong vor.

"Das ist zu riskant. Dafür müssten wir ihn in ein richtiges Gefängnis verlegen. Wir haben hier nicht die nötige Einrichtung. Wie würden wir sicherstellen, dass der Virus während seines Transports nicht übertragen wird? Außerdem erhöht sich dadurch die Möglichkeit, dass Informationen über diese Mission durchsickern. Ich hätte einen anderen Vorschlag: Die meisten Leute, die in dieses Lager kommen, überleben nicht länger als ein paar Monate. Wie wäre es, wenn wir uns unauffällig um ihn kümmern, bevor er alle anderen in noch größere Gefahr bringt? Gerade ist er bewusstlos. Wir müssten nur das Lebenserhaltungssystem, an dem er hängt abschalten", schlug Kapitän Tu vor.

"Nein, wir haben weder den Auftrag noch das Recht dazu. Wir sind nicht seine Richter. Wir können den Mann nicht zum Tode verurteilen. Es muss einen anderen Weg geben, mit ihm klarzukommen", sagte General Xiong.

"Ich habe mit Tyrannen und Schlägern gearbeitet. Sie leben ihr ganzes Leben auf diese Weise. Es ist fast unmöglich, sie zu ändern. Während dieser Mission können wir uns keine Fehler leisten. Und es geht nicht nur um ihn. Wenn er sich weiter unseren Befehlen widersetzt, werden die anderen von ihm lernen, und dann wird es unmöglich werden, auch sie zu kontrollieren. Wollen Sie, dass wir an diesen Punkt kommen? Es ist besser, einen von ihnen zum Wohle aller zu opfern", antwortete Kapitän Tu.

"Da bin ich anderer Meinung. Wir können nicht einfach einen von ihnen töten, wann immer wir das für richtig halten", erwiderte General Xiong.

"Es tut mir leid, Sir. Da muss ich widersprechen. Es gibt keine Möglichkeit, die Leute zu kontrollieren, wenn es im Lager keine Disziplin und Ordnung gibt. Wenn Sie das nicht gutheißen, muss ich zurücktreten. Ich kann die Menschen nicht kontrollieren, wenn mir die Autorität fehlt, um meine Pläne auszuführen", sagte Kapitän Tu.

General Xiong schwieg. Er konnte es sich nicht leisten, Kapitän Tu zu verlieren. So streng und grausam er auch war, er leistete gute Arbeit im Vorantreiben dieser Mission.

"Tun Sie, was Sie für richtig halten. Aber es handelt sich hierbei um eine Ausnahme und sollte Ihr letztes Mittel bleiben, wenn es um die Bestrafung und die Aufrechterhaltung der Ordnung in diesem Lager geht", sagte der General.

"Ja, Sir, natürlich", antwortete Kapitän Tu.

~

Nach dem Vorfall mit dem Widerling fand Chen nicht wieder zu dem fröhlichen und hoffnungsvollen junge Mann zurück, der er gewesen war. Er redete und lächelte viel weniger als zuvor. Nur wenn er mit Lin allein war, fühlte er sich wohl und verhielt sich fast wie früher. Als Chens Verletzungen langsam heilten, nahm er seine Aufgabe wieder auf und verbrannte die anfallenden Leichen. Lin spürte wie sich Chen verändert hatte, erwähnte es ihm gegenüber jedoch nie. In der Tat sprachen sie nicht mehr über die Ereignisse dieses Tages. Es blieb eine offene Wunde, die keiner von ihnen berühren wollte. Sie taten so, als ob es sie nicht gäbe. Lin dachte, nach einiger Zeit würde Chen wieder zu dem optimistischen Mensch werden, der er einmal war. Aber Anzeichen dafür blieben aus: keine lustigen Witze, keine Geschichten und keine spontanen Einladungen zu einem Spaziergang durch das Lager mehr. Stattdessen war er in sich gekehrt und schien irgendetwas loswerden zu wollen. So als gäbe es etwas, worüber er reden wollte. Gleichzeitig hielt ihn etwas ab, darüber zu sprechen.

Eines Tages nahm er schließlich Lins Einladung zu einem Spaziergang an. Als sie etwa die Hälfte ihres Rundgangs hinter sich hatten, begann er zu reden. "Zwei Monate. Es ist jetzt fast zwei Monate her, dass wir hierher gebracht wurden, Lin. Die meisten der Leute, die mit uns angekommen sind, sind tot. Wir beide hatten großes Glück, dass wir keine Symptome entwickelt haben. Für mich ist das ein Zeichen. Ein Zeichen, dass das Leben uns noch eine Chance gegeben hat."

"Ich stimme dir zu. Ich hoffe, wir können irgendwann zu unserem alten Leben außerhalb dieses Lagers zurückkehren."

"Glaubst du wirklich, dass das möglich sein wird? Selbst wenn sie ein Medikament oder einen Impfstoff finden, wird es einige Jahre dauern, bis sie wissen, dass wir keine Bedrohung mehr für den Rest sind und uns dann gehen lassen", sagte Chen.

"Meinst du? Nein, sie werden uns gehen lassen, sobald sie ein Heilmittel gefunden haben. Du bist zu pessimistisch", sagte Lin.

“Nein. Du bist zu naiv. Wenn es so einfach wäre, würden die sich nicht die Mühe machen, ein solches Lager zu errichten und so viele Soldaten aufzustellen, um uns an der Flucht zu hindern”, sagte Chen. In seiner Stimme lagen Wut und Schmerz.

“Wir haben keine andere Wahl. Wir müssen am Leben bleiben und hoffen, dass sie uns eines Tages zurückgehen lassen, und wir wieder ein normales Leben führen können”, entgegnete Lin.

“Ich werde auf keinen Fall hier bleiben und vergammeln. Wir haben das Virus überlebt. Wenn wir uns infiziert hätten, hätten wir längst Symptome zeigen müssen. Wir, die wenigen Menschen, die das Virus besiegt haben, sind nicht mehr ansteckend. Sie müssten uns jetzt gehen lassen, aber das tun sie nicht, weil sie das alles vor der Öffentlichkeit verbergen wollen. Das ist die beste Zeit meines Lebens als Profisportler. Wenn ich zu lange eingesperrt bleibe, komme ich nie wieder auf mein Niveau zurück, auf dem ich war. Ich werde nicht zulassen, dass die mein Leben zerstören. Ich habe einen Plan, um auszubrechen. Dafür brauche ich deine Hilfe, und ich möchte, dass du mit mir kommst. Das ist unsere einzige Chance, in ein normales Leben zurückzukehren. Die werden uns nie und nimmer rauslassen”, sagte Chen.

Lin schwieg. Sie hatte das nicht kommen sehen. Für sie war Chen ein unterhaltsamer Typ mit lustigen Witzen gewesen. Sie hatte das Gefühl, dass dies nicht mehr derselbe Chen war, der gerade mit ihr sprach. Seine Stimme war voll Wut und Entschlossenheit.

“Ich weiß nicht. Es klingt gefährlich. Wie sollen wir entkommen? Um das gesamte Lager gibt es Zäune und Soldaten.

Selbst wenn wir aus dem Lager fliehen könnten, würden unsere Fußfesseln unseren Standort melden. Sie sagten uns doch, dass die Fesseln explodieren, wenn wir das Lager verlassen", antwortete sie.

"Ich habe einige Ideen, wie wir entkommen können. In den letzten Wochen habe ich viele Informationen über ein paar Möglichkeiten gesammelt, die wir haben. Ich muss sie noch genauer prüfen. Im Moment muss ich von dir nur wissen, ob du mit mir kommst. Wir kennen uns noch nicht so lange, aber ich liebe dich, und ich will dich hier nicht zurück lassen", sagte er.

"Ich werde darüber nachdenken, Chen", antwortete Lin.

Es gab nur zwei Arten, durch die das Lager mit der Außenwelt verbunden war. Die eine waren die Busse und Transporter, die von Zeit zu Zeit neue Patienten ins Lager brachten, und die andere, häufigere, war der Kühlwagen, der jeden Tag zubereitetes Essen brachte und gleichzeitig den Müll aus dem Lager abtransportierte. Chen kannte den Zeitplan des Foodtrucks sehr gut. Lin hatte ihn ihm schon mehrmals erklärt. Er kam jeden Tag um acht Uhr morgens. Nachdem das Essen ausgeladen war, stellte das Reinigungsteam des Lagers die großen Müll-Container in den LKW. Dieser verließ das Lager normalerweise spätestens um zehn. Keiner der Menschen im Lager konnte die LKW-Fahrer erkennen. Das hintere Fach des LKWs öffnete sich zu einem torähnlichen Eingang, dann fügten sich das LKW-Fach und das Lagertor mit einem Klick zusammen, um die Öffnung komplett zu versiegeln. So entstand ein tunnelartiger Weg direkt vom Lager in das Lkw-Abteil. Alle Fahrzeuge waren mit Kameras im hinteren Teil ausgestattet und wurden während des Be- und Entladens überwacht. Sobald der Lkw mit den Müllcontainern beladen war, wurde das Tor des Lagers geschlossen, wodurch der Lkw-Lagerraum vom Tor abgetrennt wurde. Dann verließ der Lkw das Lager.

Chen musste einen Weg finden, sich in den Müllcontainern zu verstecken und dort für ein paar Stunden ausharren. Er musste darauf achten, dass der Container nicht fest verschlossen wurde, damit er wieder herausklettern konnte, sobald der LKW das Lager verlassen hatte. Um mehr Informationen darüber zu erhalten, wie die Container befüllt und in den LKW geladen wurden, versuchte er, sich einem der Jungs aus dem Reinigungsteam zu nähern. Mehrere Tage lang hing Chen mit ihm herum, während dieser arbeitete, um Details zu erfahren.

Jeden Tag gegen vier Uhr nachmittags begann das Reinigungsteam, den gesamten Müll in großen Plastiktüten einzusammeln. Dann verpackten sie diese in größere Säcke. Die zweiten Säcke wurden desinfiziert, bevor sie in den Container kamen. Im Anschluss wurden die Container fest verschlossen, um sie komplett zu versiegeln. Um die Container von außen zu säubern, wurden sie rundherum mit einem Desinfektionsmittel besprüht. Dann wurden alle Container in einem Raum gesammelt, bereit, am nächsten Tag auf den LKW geladen zu werden.

Nach ein paar Tagen des Beobachtens bot Chen seinem Freund aus dem Reinigungsteam an, ihm mit dem Müll zu helfen. Er musste einen Weg finden, die Container offen zu halten, ohne dass es jemand mitbekam.

Währenddessen wurde Kapitän Tu von einem seiner Soldaten darüber informiert, dass Chen den Reinigungskräften half, die Müllcontainer zu füllen. Das war ungewöhnlich. Die Bewohner des Lagers kamen kaum mit ihren eigenen Aufgaben zurecht, geschweige denn, dass sie anderen halfen. War dieser junge Mann so ein hilfsbereiter Typ? Das allein war keine befriedigende Erklärung für Kapitän Tu. Er befahl seinen Soldaten, die Aktivitäten des jungen Mannes genau im Auge zu behalten.

Chen verbrachte die nächsten Tage damit, die Details seines Plans auszuarbeiten. Er fand heraus, wie er die Behälter locker und ohne Druck verschließen konnte. Auf diese Weise schienen sie von außen betrachtet verschlossen zu sein, während er sie leicht öffnen konnte, wenn er das wollte. Er musste sich ebenfalls über das Timing seines Plans Gedanken machen. Zwei Nächte bevor er fliehen wollte, fand er Lin allein in ihrem Zimmer vor. Das war der beste Moment, ihr alle Details zu verraten.

“Ah, endlich erwische ich dich alleine. Ich habe in der Zwischenzeit alles überprüft. Wir werden übermorgen abhauen. Der Plan ist...”

Lin unterbrach ihn. “Was? Übermorgen? Aber das ist viel zu früh. Das habe ich nicht erwartet. Können wir es verschieben?”

“Nein, wieso brauchst du mehr Zeit? Hast du noch wichtige Geschäfte zu erledigen?” fragte Chen sarkastisch.

“Nein. Ich habe Angst. Was, wenn sie uns finden? Selbst wenn wir entkommen, wie werden wir danach leben, ohne erkannt zu werden?”

"Erstens werden die erst herausfinden, dass wir geflohen sind, wenn wir das Lager lange verlassen haben. Sobald wir draußen sind, gehen wir zu einem Freund von mir. Er ist Journalist. Wir werden ihm alles erzählen, was wir hier erlebt haben. Er kann uns helfen, nach Taiwan oder Singapur zu fliehen. Wenn alles an die Öffentlichkeit gekommen ist und man sehen kann, dass wir nicht ansteckend sind, werden sie uns in Ruhe lassen."

"Ich weiß nicht. Bist du dir da sicher?", fragte sie.

"Ich bin mir jedenfalls sicher, dass ich hier nicht sterben will. Wenn wir jetzt nicht fliehen, werden wir dieses Lager nie verlassen. Du brauchst keine Angst zu haben. Denk an all die Jahre, in denen du frei leben kannst wie jeder andere auch. Nicht wie eine Laborratte in diesem Käfig. Lass deine Angst nicht der Grund dafür sein, dass du hier für immer eingemottet bist." Chen schaute ihr in die Augen und lächelte. Er streichelte ihr mit den Fingern übers Gesicht. "Sag mir, dass du mit mir kommst?"

"Was ist der Plan?" hauchte Lin.

Im Überwachungsraum hörte Kapitän Tu das Gespräch von Chen und Lin mit. "Ich wusste, dass etwas mit diesem Kerl faul ist." Ein heimtückisches Lächeln blitzte auf seinem Gesicht auf. Sofort rief er General Xiong an.

"Chen, der Typ, der für das Verbrennen der Leichen verantwortlich ist, plant für übermorgen einen Fluchtversuch. Wir sollten ihn sofort aufhalten und hart dafür bestrafen, damit der Rest der Bewohner lernt, was ihnen blüht, wenn sie überhaupt über Flucht nachdenken", sagte Kapitän Tu.

"Will er allein fliehen?", fragte der General.

“Nein, mit einem Mädchen namens 'Lin'“, antwortete Kapitän Tu.

“Wir dürfen sie nicht wissen lassen, dass wir sie in ihren Zimmern abhören, sonst redet dort niemand mehr ein Wort.”

“Also, wie lautet Ihr Befehl, Sir?”

“Tun Sie nichts. Noch könnten sie ihren Plan abblasen. Und wenn sie es doch durchziehen, können wir sie immer noch verfolgen und zurückbringen”, antwortete der General.

# 13

Doktor Zhang befand sich im Tiefschlaf, als er spürte, wie jemand an seiner Schulter rüttelte und seinen Namen rief. Er war vollständig erschöpft von der intensiven Arbeitsbelastung auf Station. Jeden Abend, wenn er zurück in das Zimmer kam, spielte er normalerweise mit seiner Tochter, wenn sie noch wach war. Dann aß er schnell zu Abend und ging direkt ins Bett. In dieser Nacht spürte er zwar, dass ihn jemand schüttelte, war aber nicht in der Lage, seine Augen zu öffnen. Er konnte eine Stimme wahrnehmen, die ihn aufforderte, aufzuwachen, aber sein Körper wehrte sich dagegen. Nach einer gefühlten Ewigkeit öffnete er die Augen und sah seine Frau, die ihm etwas Unverständliches zuflüsterte. Er musste sich erst im Bett aufsetzen und ein paar Sekunden warten, bis er verstand, was sie sagte.

“Fieber! Unsere Tochter, sie hat Fieber.”

“Was?”

“Sie redet im Schlaf. Ich bin aufgewacht, um nach ihr zu sehen. Als ich sie berührte, glühte sie.”

Doktor Zhang stand auf und schaute nach seiner Tochter. Ihr kleiner Körper war mit einer Decke zugedeckt, ihr Gesicht war rot, und auf ihrer Stirn waren Schweißtropfen zu sehen. Er berührte ihre Stirn. Sie hatte definitiv hohes Fieber.

“Hilf mir, sie auf die Krankenstation zu bringen.”

Es war zwei Uhr in der Nacht. Auf Station hatten zwei Schwestern Dienst, die sich um ein Dutzend Patienten in kritischem Zustand kümmerten. Einige waren an lebenserhaltende Maschinen angeschlossen. Doktor Zhang gab seiner Tochter Medikamente, um das Fieber zu senken, aber es ging nicht runter. Sobald er die Medizin absetzte, kam das Fieber umso stärker zurück. Das war seltsam. Kinder konnten diese Krankheit normalerweise viel besser verkraften als Erwachsene. Sie hatten in der Regel für ein bis zwei Tage leichtes Fieber und ein bisschen Gliederschmerzen. Dann verschwanden die Symptome auch schon wieder, ohne dass man eingreifen musste. *Was ist mit ihr los? Konnte es etwas anderes sein?* Er war mitten in seinen Überlegungen, als seine Augen auf die seiner Frau trafen. Sie war extrem blass und schien erschöpft. Ihre Augen waren rot. Sie stand in der Nähe des Bettes ihrer Tochter. *Sie sieht nicht gut aus. Sie braucht etwas Schlaf,* dachte Doktor Zhang, als seine Frau ihn mit ihren leeren Augen anstarrte.

“Mir ist schwindlig. Ich fühle mich ...” Unfähig, ihren Satz zu beenden, klammerte sie sich an das Bett und versuchte, nicht zusammenzubrechen.

Doktor Zhang rannte zu ihr hin, um sie aufzufangen, bevor sie völlig kollabierte. Als er sie berührte, bemerkte er, dass auch sie vor Fieber glühte.

Er legte seine Frau in ein anderes Bett und ging sofort auf die Suche nach Fen. Er war nicht in der Lage, sich um beide zu kümmern, wenn sich ihr Zustand noch verschlimmern sollte. Eine Stunde später verfiel seine Tochter inWahnvorstellungen. “Daddy, ich sehe sie. Die Monster. Sie kommen, um mich zu holen.”

“Beruhige dich, Liebes. Niemand wird dich mitnehmen. Ich bin hier und kümmere mich um dich”, sagte Doktor Zhang und überprüfte ihre Temperatur. Sie glühte noch immer.

Fen kümmerte sich um die Frau des Arztes. Bis gestern hatte sie keine Symptome gezeigt. Sie hatte zwar über Erschöpfung geklagt und sich nervös gefühlt. Aber weder sie noch Doktor Zhang hatten geahnt, dass es so ernst um sie stand. Mit der Zeit wurde ihr Zustand schlimmer. Sie keuchte beim Atmen. In der morgendlichen Dämmerung beschloss Doktor Zhang, sie an das Beatmungsgerät anzuschließen.

“Liebling, ich habe keine andere Wahl, als dich an das Beatmungsgerät anzuschließen. Ich werde dir ein starkes Schmerzmittel geben. Du wirst es nicht einmal spüren. Du wirst ganz normal einschlafen. Wenn du deine Augen öffnest, wirst du in einem stabileren Zustand sein”, versuchte Doktor Zhang seiner Frau zu erklären.

Sie versuchte, etwas zu sagen, musste aber so stark husten, dass er sie nicht verstehen konnte. Sie versuchte es ein weiteres Mal. Doktor Zhang beugte sich über ihr Bett, um sie besser zu verstehen.

“Was ist, wenn ich nicht mehr aufwache?” Ihre Augen waren voller Schmerz und Kummer.

“Das wirst du. Das verspreche ich dir”, sagte er, hielt ihre Hand so fest er konnte und spürte dabei, wie seine Augen feucht wurden. “Mach dir keine Sorgen, ich bin bei dir.”

Sie lächelte schwach. Doktor Zhang küsste sie auf die Stirn und injizierte ihr ein Medikament. Sie schloss die Augen, und ein paar Minuten später fiel sie in eine tiefe Bewusstlosigkeit. Sie wurde sofort an das Beatmungsgerät angeschlossen. Ihr Brustkorb bewegte sich auf und ab. Sie atmete jetzt leichter.

Während sich der Zustand von Frau Zhang an der Maschine zu stabilisieren schien, wurde die Situation seiner Tochter nicht besser. Von Zeit zu Zeit schlief sie wegen der hohen Dosierung der Medikamente ein, aber ihr Fieber ging nicht zurück. Plötzlich verdrehte sie ihre Augen, sodass nur noch das Weiß darin zu erkennen war. Ihr ganzer Körper zitterte.

Fen rief sofort nach Doktor Zhang. “Doktor, schnell, sie hat einen Krampfanfall!”

Doktor Zhang eilte herbei und sah, dass ihr kleiner Körper heftig zuckte. Er drehte sie auf die Seite und versuchte, ihre Atemwege frei zu halten. “Mein kleiner Engel.” Er zitterte und weinte.

Ein paar Sekunden später verlor sie das Bewusstsein und konnte kaum noch atmen. “Sie hat einen Herzinfarkt”, rief er.

Sie begannen sofort mit Stromstößen. Einmal... zweimal... dreimal... es funktionierte nicht. Unerbittlich setzte Doktor

Zhang die Prozedur eine halbe Stunde lang fort. Er agierte wie ein Verrückter, schrie und brüllte. "Komm schon, mein Mädchen! Es ist nicht deine Zeit. Komm zurück zu deinem Daddy." Er machte weitere zehn Minuten weiter, aber nichts wies darauf hin, dass sie zurückkam.

Fen trat näher an Doktor Zhang heran und nahm seine Hand fest in ihre. "Es ist vorbei."

Doktor Zhang drehte seinen Kopf in ihre Richtung. Sein Gesicht war rot, von Tränen überlaufen. Er ließ die Elektroden auf die Seite sinken, als hätte er plötzlich begriffen, was geschehen war. Er blickte auf seine Tochter. Ihre Augen waren geschlossen. Sie bewegte sich nicht mehr. Doktor Zhang umarmte ihren dünnen Körper und schluchzte. Ihr Körper ging in seinen Armen verloren.

Dies war auch Fens dunkelste Nacht auf der Krankenstation. Noch nie zuvor hatte sie Doktor Zhang so erbarmungslos traurig und gebrochen gesehen. Er blieb eine Ewigkeit am Bett seiner Tochter sitzen, weinte und sprach mit ihr. Dann ging er zurück zu seiner Frau, die immer noch bewusstlos und an das Beatmungsgerät angeschlossen war. Leise sprach er sie an.

"Ich weiß nicht, ob oder wann du wieder aufwachen wirst, aber wenn du es tust, wirst du unsere Tochter nicht mehr sehen können. Jahrelang haben wir auf diesen kleinen Engel gewartet. Sie wird ihre Augen nicht mehr öffnen. Sie wird keine Fragen mehr stellen. Sie wird keine neuen Wörter mehr lernen. Sie schläft in Frieden, wie der Engel, der sie war. Ohne dich hätte ich nie so für sie da sein können. Es ist alles meine Schuld. Wäre ich nicht gewesen, würde unsere Tochter noch leben. Du würdest nicht in diesem Bett liegen. Sprich mit mir. Sag mir, was ich tun soll? Was soll ich dir sagen, wenn du deine Augen öffnest? Rede mit mir, lass mich bitte nicht allein."

Er saß auf dem Boden, nahe dem Bett seiner Frau. Seine Beine konnten sein Gewicht nicht mehr halten. Fen beobachtete ihn, mischte sich jedoch nicht ein. Er hatte jedes Recht, um seine Tochter und seine Frau zu trauern.

Doktor Zhang in diesem Zustand zu sehen, war für Fen äußerst schwierig. Er war einer der wenigen Optimisten hier im Lager, der Fen Hoffnung und Grund genug gab, unter diesem enormen Druck nicht wahnsinnig zu werden. Er war derjenige, der allen sagte, dass es einen Tag geben würde, an dem sie alle in ihr normales Leben zurückkehren würden. Jetzt war das, zumindest für ihn, nicht mehr möglich. Er konnte nie wieder in ein Leben zurückkehren, in dem seine Tochter auf ihn wartete.

Doktor Zhang blieb bis zum Morgen im Zimmer seiner Frau. Fen fand ihn erschöpft vor. Er konnte kaum noch die Augen öffnen. Fen zwang ihn, sich für ein paar Minuten auf einem der Betten auf Station auszuruhen. Als er dort lag, schlief er sofort ein. Beim Aufwachen galt sein erster Gedanke seiner Tochter.

"Wo habt Ihr sie hingebracht?", fragte er Fen nervös.

"Nirgendwohin, sie ist immer noch hier auf der Krankenstation", antwortete Fen.

"Ich möchte sie selbst beerdigen. Das ist das Letzte, was ich für sie tun kann."

“Okay, Doktor. Ich gebe Chen Bescheid. Er kommt am Nachmittag vorbei, um die Leichen zu holen. Ich werde ihn bitten, Sie mitzunehmen.”

Als Chen an diesem Tag auf die Krankenstation kam, um wie immer die Leichen abzuholen, wartete Doktor Zhang bereits auf ihn. Er hatte dunkle Ringe um die Augen, sein Rücken war vor Schmerz gekrümmt.

“Hallo, Doktor. Fen hat mir erzählt, was letzte Nacht passiert ist. Es tut mir so, so leid.”

“Danke, Chen. Danke, dass ich diesen letzten Gang mit meiner Tochter gemeinsam gehen darf.”

“Natürlich. Aber sind Sie sich sicher? Wenn Sie wollen, kann ich das machen, und Sie sind einfach da, um sie ein letztes Mal zu sehen.”

“Nein, ich will selbst anpacken. Ich will sie nicht allein lassen. Zeig mir einfach, was genau ich tun muss.”

Den ganzen Nachmittag über hatte Chen Doktor Zhang an seiner Seite. Dieser war still und gab nur Antwort, wenn Chen ihn ansprach. Gemeinsam gingen sie in die Leichenhalle. Chen legte zwei Tote in die Säcke, und Doktor Zhang tat dasselbe mit seiner Tochter. Sie fuhren zum Krematorium in der hintersten Ecke des Lagers. Die Fahrt dauerte etwa fünf Minuten. Doktor Zhang sprach kein Wort.

Chen nahm die ersten beiden Leichen aus dem Transporter, überprüfte sie und nahm ihnen die Namensschilder von ihren Zehen ab. Dann schleppte er die Leichen neben die Einäscherungskammer. Doktor Zhang saß immer noch im Transporter und beobachtete Chen ganz genau.

Als Chen mit den beiden Toten fertig war, blickte er zu Doktor Zhang hinüber. Der saß noch immer im Transporter, als ob er nicht die Absicht hätte, dort jemals auszusteigen. Er bereitete sich darauf vor, das letzte Mal, das Gesicht seiner Tochter zu betrachten.

“Doktor, geht es Ihnen gut? Wenn es nicht geht, kann ich es für Sie übernehmen.”

Er schüttelte den Kopf, stieg aus dem Auto und nahm den Leichensack seiner Tochter heraus. Er legte sie auf den Boden neben dem Auto ab. Dann starrte er ein paar Sekunden lang auf den Sack. Er erinnerte sich an den Tag, bevor sie in das Lager gebracht wurden. Das letzte Mal, dass er wirklich Zeit mit ihr verbracht hatte. Im Park, wo sie ihm gezeigt hatte, wie gut sie mit ihrem neuen Fahrrad fahren konnte. Er erinnerte sich lebhaft an alles an diesem Tag: den blauen Himmel, den Geruch der Bäume und daran, wie seine Tochter ihm zugerufen hatte: “Daddy, schau mal, wie schnell ich fahren kann.” Und dann trat sie vor ihm in die Pedale, so schnell sie konnte, und tat alles, um ihren Vater zu beeindrucken. An diesem Tag hätte er niemals geahnt, zwei Monate später ihren toten Körper würde einäschern müssen. Er öffnete den Leichensack und blickte in ihr Gesicht. Er tat alles, was er konnte, um zu verhindern, dass ihm die Tränen kamen. Er wollte ihr Gesicht ein letztes Mal bewusst wahrnehmen, sich jeden Gesichtszug für immer einprägen. Anschließend umarmte er die Leiche und legte sie in die Kammer. Bevor er die Tür der Kammer schloss, stand er minutenlang davor und weinte heftig. Er war nicht in der Lage, die Kammer eigenhändig zu schließen. Chen legte ihm die Hand auf die Schulter und zog ihn ein Stück weg.

"Kommen Sie Doktor, sie wird für immer in Ihrem Herzen sein. Lassen Sie ihren Körper gehen." Chen schloss die Kammer für ihn.

Doktor Zhang sah Chen mit leerem Blick an. Er sagte nichts, er tat nichts. Chen half ihm, sich etwas von den Kammern zu entfernen und startete dann die Öfen. Doktor Zhang weinte die gesamte Zeit, während die Leichen in der Kammer verbrannten. Ein paar Stunden später sammelte er die Asche seiner Tochter ein und begrub sie.

In dieser Nacht ging Fen zu Doktor Zhang, um nach ihm zu sehen und ihn über den Gesundheitszustand seiner Frau zu informieren. Als sie sein Zimmer betrat, saß er dort in völliger Dunkelheit.

"Wie fühlen Sie sich, Doktor?", fragte sie.

"Besser als ich sollte. Bin noch am Leben", antwortete er.

"Ihre Frau hängt immer noch am Beatmungsgerät. Ihr Zustand hat sich seit heute Morgen nicht verändert. Wir kümmern uns um sie. Machen Sie sich keine Sorgen."

"Danke, Fen." Er senkte den Kopf. Ein paar Augenblicke lang herrschte Stille im Raum. Fen dachte, sie sollte besser gehen und ihn allein lassen. Sobald sie sich in Richtung Tür bewegte, hob Doktor Zhang den Kopf.

"Warum leben wir noch, Fen? Wenn wir am Ende jeden verlieren werden, den wir lieben. Was ist dann der Sinn des Lebens?"

Unbehagen überfiel Fen. Sie hatte nie darüber nachgedacht. Tatsächlich hatte sie in den letzten zwei Monaten bewusst versucht, an nichts anderes zu denken als an die Verrichtung ihrer täglichen Aufgaben. Sie zögerte einen Moment und antwortete dann. "Ja, am Ende werden wir alles verlieren, aber bis zu diesem Moment gibt es eine Menge Freude und Liebe, die wir außerhalb von uns selbst finden können. Das ist der Grund, warum wir leben."

"Das glaube ich nicht. Wir leben, weil die meisten von uns vergessen haben, dass wir sowieso alles verlieren werden. Wir lenken uns ab. Wir tun alles, um nicht darüber nachzudenken. Wir jagen ständig unsinnigen Zielen hinterher, denn wenn wir das nicht tun würden, würden wir alle ziemlich schnell verrückt werden. Vielleicht sollten wir für eine Sekunde innehalten und erkennen, dass es das alles nicht wert ist, um dieses Leben zu ertragen", fuhr er fort.

"Doktor, ich weiß, was Sie gerade erleben müssen, ist sehr schmerzhaft. Sie müssen sich Zeit nehmen, um über das was passiert ist hinwegzukommen", sagte Fen.

"Könnten Sie mir einen Gefallen tun? Hier, in diesem Gefängnis, ist für mich der beste Ort, um dieses schmerzhafte Leben zu verlassen. Ich möchte, dass Sie es für mich beenden. Hier ist es legal, und Sie wissen, wie es geht."

Fen lief ein Schauer über den Rücken bei dem Gedanken, sein Leben zu beenden. Schnell sammelte sie sich und sagte: "Nein, nein, nein! Ich kann das nicht für Sie tun."

"Nun, ich dachte eigentlich, dass ich mich auf Sie am meisten verlassen könnte. Ist schon gut. Ich werde jemand anderen finden."

"Was ist mit Ihrer Frau? Stellen Sie sich vor, sie macht die Augen auf und merkt, dass sie Sie und ihre Tochter verloren hat. So grausam können Sie nicht sein. Bitte, versprechen

Sie es mir. Sie haben alle Zeit der Welt, sich zu entscheiden. Warten Sie mit der Entscheidung, bis Sie wissen, ob Ihre Frau überleben wird oder nicht. Das müssen Sie mir versprechen!"

Es war dunkel. Fen konnte das Gesicht des Arztes nicht sehen. Es herrschte Stille.

"Sie haben recht. So grausam kann ich nicht sein", antwortete er schließlich.

# 14

In den vergangenen zwei Wochen hatte Chen sämtlicher Details, die er für die Umsetzung seines Plans brauchte, gesammelt. Er wusste nun genau, wann und wie die Container befüllt und gelagert wurden, wie sie auf die LKWs kamen und wie viele Kameras im und um den Lebensmittelwagen platziert waren. Um Vertrauen zu dem Mann aus dem Reinigungsteam aufzubauen, half Chen ihm ein paar Mal bei seinen Aufgaben und überzeugte ihn mehr und mehr, ihn die Arbeit alleine machen zu lassen. So wusste Chen genau, wie man die Behälter verschließt, so dass sie zwar dicht schienen, aber im Bedarfsfall mit wenigen Handgriffen zu öffnen waren. Dies war der kniffligste Teil der Aktion. Würden sie nämlich feststellen, dass die Container nicht richtig verschlossen waren, während sie verladen würden, würde sie sie zurück ins Lager bringen lassen. Um das zu vermeiden, übte er mehrmals, wie er die Container schließen musste, damit sie genau richtig verschlossen waren: nicht zu fest, aber auch nicht zu locker.

Er bereitete eine Tasche mit Dingen vor, die sie während ihrer Reise brauchen würden: Wasser, Nahrung und einige Medikamente. Da das Innere des LKWs kalt und nass war, würden sie warme Kleidung benötigen. Immerhin wusste er nicht, wie viele Stunden sie in den Containern ausharren mussten. Sie mussten sich also warm halten. Das Problem war, dass es extrem schwierig war, im Lager an warme Kleidung zu kommen. Sie waren alle mitten im Sommer angekommen. Niemand hatte Winterkleidung. Die einzige Lösung bestand darin, Decken einzupacken. Das war zwar nicht ideal, aber zumindest konnten sie sich damit im LKW für einige Zeit warm halten.

Um die Signale der Fußfesseln zu unterbrechen, hatte Chen keine andere Wahl, als dem zu vertrauen, was ihm sein Kollege vor dessen Tod erzählt hatte. Wenn er die Fußfesseln komplett mit Alufolie abdecken würde, würde der elektrische Käfig verhindern, dass Signale gesendet oder empfangen wurden. Er hatte keine Möglichkeit, das zu überprüfen, aber je mehr er darüber nachdachte, fiel ihm kein Grund ein, warum der andere ihn hätte anlügen sollen. Also sammelte er alle Aluminiumabdeckungen der Lebensmittelboxen ein. Als Nächstes musste er sicherstellen, dass die Alufolie die ganze Zeit über fest an den Fußfesseln hielt und sie zuverlässig abdeckte; auch während und nach ihrer Fahrt im LKW. Dafür fiel ihm eine Idee aus seiner Kindheit ein, als er auf dem Bauernhof seines Großvaters gespielt hatte. Dazu brauchte er Regenstiefel, die größer als ihrer beider Schuhgrößen waren. Darin konnten sie Lagen von Aluminium verstauen. Auf diese Weise müssten sie nur dünne Socken in den Stiefeln tragen, und die Fußfesseln mit einer festen Aluminiumschicht bedecken.

Das Einzige, was Chen nicht kannte, war das eigentliche Ziel des LKWs. An diese Information kam er einfach nicht ran. Aber das war für seinen Plan auch nicht so wichtig. Er und Lin würden den Lastwagen beim ersten Halt verlassen, egal, wo das war. Danach würde er einen Weg finden, seinen Freund zu kontaktieren.

An diesem Abend weihte er Lin in alle Details seines Plans ein, während sie gemeinsam in ihrem Zimmer zu Abend aßen.

“Morgen Abend geht es los. Das Einzige, was du tun musst, ist, gegen acht Uhr für die Abfahrt bereit zu sein. Ich hole dich dann ab. Wir sollten so tun, als würden wir unseren normalen Spaziergang durch das Lager machen. In Wirklichkeit gehen wir in den Raum, in dem die Container zum Verladen aufbewahrt sind. Ich werde morgen den ganzen Tag über dort sein und darauf achten, dass zwei der Container nicht verschlossen werden. Wir werden uns vor Sonnenaufgang, wenn es noch dunkel ist, in den Containern verstecken. Ich habe schon eine Decke, Wasser und Essen hineingelegt. Sobald wir in den Containern sind, müssen wir ein paar Stunden warten, bis die Verladung beginnt. Das Beladen dauert normalerweise nicht länger als eine halbe Stunde. Dann sind wir auch schon fast draußen. Ich habe alles geplant. In zwei Tagen um diese Zeit werden wir außerhalb dieser Hölle sein.” Seine Augen leuchteten vor Aufregung.

“Chen, es ist großartig, dass du alles geplant hast, aber ich habe immer noch Angst. Bist du sicher, dass wir nicht mit Fen darüber sprechen sollten? Sie ist älter als wir; vielleicht kann sie uns helfen.”

“Nein, auf keinen Fall. Wir können ihnen nicht von unserem Plan erzählen. Sobald sie davon erfahren, werden sie uns überreden wollen, das nicht durchzuziehen. Du kennst sie doch! Sie sind eingeschüchterte und nicht so mutige Menschen, die die vorgegebenen Bedingungen akzeptieren. Wenn es nach ihnen ginge, würden sie uns dazu bringen, hier zu bleiben, bis wir sterben.” Seine Stimme war jetzt lauter. Er schien frustriert zu sein. “Ich liebe dich Lin, und ich möchte, dass du mit mir kommst. Aber wenn du immer noch Zweifel hast und Angst hast, dann habe ich keine andere Wahl, als alleine zu gehen. Du darfst mich nur nicht verraten”, fuhr er fort.

Lin ließ den Kopf sinken. Sie hatte Angst bei dem Gedanken, verhaftet zu werden. Aber sie wollte unbedingt mit Chen zusammen sein. Sie liebte seinen rebellischen Geist. Während der letzten Monate war Chen zu ihrer Familie, ihrem Freund und ihrer Hoffnung geworden. Sie konnte sich nicht vorstellen, wie sie ohne ihn im Lager weiterleben sollte. Wenn er gehen würde, würde sie mitgehen. “Ich möchte mit dir kommen. Ich habe nur gemeint, dass wir vielleicht mehr Informationen sammeln könnten. Du weißt schon, um sicherzugehen”, murmelte sie.

“Ich bin mir sicher Lin! Ich habe den ganzen Plan hundertmal in meinem Kopf durchgespielt. Vertrau mir einfach.” Er umarmte sie fest, legte seine Hand unter ihr Kinn und hob ihren Kopf an. “Vertrau mir einfach.” Er küsste sie.

Am nächsten Tag wachte Chen um fünf Uhr morgens auf. Er konnte nicht mehr schlafen. Heute war der Tag, an dem er endlich frei sein würde. Er konnte der Welt erzählen, wie sie eingesperrt worden waren, nur weil sie sich mit einem

Virus infiziert hatten. Er dachte an seine Trainingseinheiten. Er könnte wieder ein Teil der Nationalmannschaft sein. All das würde nur geschehen, wenn heute alles glatt lief. In der Nacht zuvor hatte er noch einmal alles überprüft. Alles war bereit für sein Vorhaben.

Es war zwei Uhr nachmittags, als er mit seiner Arbeit im Lager fertig war. Sobald er seine Aufgaben beendet hatte, ging er in den hinteren Bereich des Gebäudes, wo der Müll gesammelt wurde. Am Tag zuvor hatte Chen mit seinem Freund vereinbart, die Sammlung und Vorbereitung der Müllbehälter für diesen Tag zu übernehmen. Sobald er den Raum betrat, überprüfte er die bereitgelegten Decken, Lebensmittel, das Wasser und die Stiefel, die er am Vortag in den Schrank gelegt hatte. Alles war an seinem Platz. Er lächelte.

Der nächste Schritt war das Vorbereiten und Verschließen der Container. Er musste in zwei der Container weniger Müll unterbringen, damit er und Lin genug Platz hatten, um sich darin zu verstecken. Als er schließlich mit seiner Arbeit fertig war, waren es fünf Container. Drei davon verschloss er mit festem Druck. Die letzten beiden ließ er locker verschlossen stehen. Er markierte sie vage, um sie in der Nacht zu erkennen. Alles verlief nach Plan.

Im Gegensatz zu Chen, der an diesem Tag viel zu tun hatte, sollte Lin nur für ein paar Stunden auf die Krankenstation kommen, um Fen zu helfen. Sie war extrem nervös. Es fiel ihr schwer, sich auf ihre Arbeit zu konzentrieren. Sie war ständig in Gedanken versunken. Nachdem sie zum zweiten Mal an diesem Tag einen Fehler gemacht hatte, bemerkte auch Fen, dass etwas mit ihr nicht stimmte.

“Fühlst du dich gut, Lin?” fragte Fen, nachdem sie die falsche Nadel für die Injektion gebracht hatte.

“Äh, ja, warum fragst du?” antwortete Lin.

“Weil das nicht die Nadel ist, um die ich gebeten habe.”

“Oh, Entschuldigung. Ich werde die richtige holen.” Lin beeilte sich, die neue Nadel zu bringen.

“Wenn du dich nicht wohlfühlst, kannst du heute früher gehen. Viel Arbeit gibt es hier sowieso nicht. Ich kann das alleine fertig machen.”

Lin empfand das als große Erleichterung. Sie nahm das Angebot sofort an und ging zurück in ihr Zimmer. Dies war der letzte Tag, an dem sie in diesem Zimmer wohnen würde. Sie war sich sicher, dass sie weder das Zimmer noch das Lager auch nur eine Sekunde vermissen würde. Aber während dieser Zeit war sie Fen sehr nahe gekommen. Sie war für Lin wie eine ältere Schwester geworden. *Ich werde sie vermissen,* dachte Lin. Sie konnte nicht gehen, ohne sich von ihr zu verabschieden. Also beschloss sie, ihr einen Brief in ihr Tagebuch zu schreiben. Lin war sich sicher, dass Fen das Tagebuch lesen würde, sobald sie merkte, dass Lin aus dem Lager geflohen war. Vielleicht würde sie sogar Lins Tagebuch fortsetzen und die Geschichte des Lagers beenden.

*Liebe Fen,*

*Wenn du diesen Brief liest, werden Chen und ich auf dem Weg nach draußen sein. In den letzten zwei Monaten hat sich alles in meinem Leben verändert. Ich habe meine Mutter verloren. Ich habe alle meine Freunde und meine Familie verloren. Ich wurde gezwungen, mit Fremden unter den merkwürdigsten Umständen zusammenzuleben. Erst war ich verwirrt, dann war ich tieftraurig, und mit der Zeit gewöhnte ich mich an dieses neue Leben. Manchmal erlebte ich hier sogar einen Hauch von Glück. All diese Zeiten, von dem Moment an, als ich meine Mutter ins Krankenhaus brachte, bis jetzt, warst du immer freundlich zu mir. Ich bin mir nicht sicher, ob ich das alles ohne dich an meiner Seite durchgestanden hätte.*

*Ich habe mich entschieden zu gehen, weil ich nicht länger in dieser isolierten Welt leben kann, ohne Aussicht auf den Tag, an dem wir wieder frei sein können. Ich kann nicht mehr mit ansehen, wie jeden Tag Menschen vor meinen Augen sterben. Ich kann nicht zulassen, dass die ganze Welt annimmt, dass wir alle tot sind. Wir sind am Leben und haben das Recht, frei zu sein. In dieser Zeit habe ich Chen gefunden, die einzige Person, die mir wieder Hoffnung gegeben hat. Er geht, und ich kann ihn nicht allein gehen lassen. Ich werde hier ohne ihn nicht überleben können. Ich hoffe, wir können einen Weg finden, euch alle aus dieser Hölle zu befreien.*

*In Liebe,*

*Lin*

Lin klappte das Notizbuch zu und legte es sichtbar auf ihren Schreibtisch. Es war vier Uhr nachmittags. Sie hatte Zeit, ein letztes Mal durch das Lager zu gehen, bevor Chen sie abholte.

Kurz vor acht Uhr am Abend klopfte Chen an Lins Tür. Lin sprang auf und öffnete die Tür. Chen lächelte.

“Bist du fertig?”, fragte er in ganz normalem Tonfall.

Lin war hochgradig nervös, versuchte aber zurückzulächeln. “Ja, ich sage Fen nur kurz Bescheid. Ich komme in zwei Minuten.”

Lin ging zurück ins Zimmer. Fen war müde von der Arbeit, saß auf ihrem Bett und las in einem der wenigen Bücher, die sie im Lager hatten. Lin kam näher.

“Chen und ich gehen spazieren”, sagte sie ängstlich.

Fen hob nicht einmal den Kopf. “Viel Spaß.” Sie ahnte nichts. Für sie war es nur eines der vielen Dates, die Lin und Chen hatten. Falls man es in der Situation, in der sie sich befanden, überhaupt als “Date” bezeichnen konnte.

“Okay.” Lin wandte sich um, um den Raum zu verlassen. Mitten in der Bewegung zögerte sie. Sie schaute zurück zu Fen und sagte: “Danke.”

Diesmal hob Fen den Kopf und sah Lin an. Sie war verwirrt. “Für was?”

Lin wurde nervös. Wenn sie noch eine Sekunde länger dastehen würde, würde alles aus ihr herausbrechen. “Für heute... dass du mich hast früher gehen lassen.”

“Ach, ist schon gut. Wir alle brauchen manchmal etwas Ruhe”, lächelte Fen.

“Ja, okay, dann bin ich weg. Auf Wiedersehen.”

“Tschüss, bis später”, antwortete Fen.

Lin schaute ein letztes Mal auf ihr Notizbuch, das auf dem Schreibtisch lag, und verließ sehr schnell den Raum. Sie wollte ihr sagen: *Nein, wir werden uns in nächster Zeit nicht mehr sehen.* Aber sie konnte es nicht. Sie spürte ein schweres Gewicht in ihrer Brust. Sie schloss die Tür und folgte Chen.

Ein paar Minuten später waren sie am Eingang des Raums, in dem die Container gelagert waren. Bevor sie den Raum betraten, wies Chen Lin an, seinen Schritten genau zu folgen, da er die toten Winkel der Kameras exakt kannte. Sie betraten den Raum und positionierten sich langsam in einer Ecke. Auf der anderen Seite des Raumes standen die Container bereit, die morgen verladen werden sollten. Sie mussten eine Stunde lang dort verharren, bis der Raum nach Sonnenuntergang völlig dunkel war. Erst dann waren sie bis zum Sonnenaufgang frei in ihren Bewegungen. Sie verbrachten die ganze Nacht mit Gesprächen und gingen ihren Plan immer wieder durch. Gegen fünf Uhr morgens begannen sie, sich in den Containern zu verstecken. Sie würden mindestens fünf bis sechs Stunden im Container bleiben müssen, bis sie auf den LKW verladen und aus dem Lager gebracht werden konnten.

Sie trugen ihre Spezialstiefel, um die Signale der Fussfesseln zu verbergen, und nahmen die Decken und das Essen mit. Bevor sie in die Container stiegen, küssten sie sich ein letztes Mal.

“Halte es einfach ein paar Stunden aus. Ich komme, um den Deckel zu öffnen, sobald ich das Gefühl habe, dass der LKW auf dem Weg nach draußen ist”, sagte Chen, während er Lin umarmte. Er half ihr, in den Container zu klettern, und gab ihr den Proviant und die Decke. Er schloss den Deckel vorsichtig, aber nicht fest. Dann kletterte er in den anderen Container und versteckte sich ebenfalls. Die ersten dreißig Minuten waren die schlimmsten. Obwohl der Müll in zwei Plastiktüten verschlossen lag, stank es immens in der völligen Dunkelheit. Nach einiger Zeit hatten sie sich an den Geruch gewöhnt. Dennoch verging die Stunden sehr langsam.

Es war gegen zehn Uhr morgens, als sie die Stimme von jemandem hörten, der den Raum betrat. Chen dachte: "*Jetzt ist es endlich so weit. In weniger als dreißig Minuten werden wir im LKW sein.*

Er hatte recht. Direkt merkte er, wie sie bewegt wurden. Es war schwierig, das Gleichgewicht in den Containern zu halten, während sie diese verschoben. Kurz darauf spürten sie eine kühle Brise, die von draußen kommen musste. Sie müssten jetzt eigentlich im Lkw sein. Alles lief nach Plan. Chen war aufgeregt und gleichzeitig nervös. *Was ist, wenn jemand merkt, dass die Container nicht fest verschlossen sind?* Er verwarf den Gedanken und begann, die Minuten zu zählen. Nach seinem Plan sollten sie eine halbe Stunde nach Abfahrt des Lkws wieder aus den Containern klettern können. Zu diesem Zeitpunkt waren sie sicher schon längst außerhalb des Lagers. Bald merkten sie, wie sich der Wagen in Bewegung setzte. Sie waren auf dem Weg in die Freiheit.

Es war neun Uhr, als Kapitän Tu den Überwachungsraum betrat. Sobald er eintrat, wurde er darüber informiert, dass zwei Signale, die zu Chen und Lin gehörten, fehlten. Kapitän Tu dachte: "*Er hat es endlich getan! Ich wusste es!* Er kontaktierte sofort General Xiong, um seine Befehle zu erhalten.

"Ja, Sir, wie er Lin in dem Gespräch verraten hat, sind sie gerade dabei im Essenswagen zu fliehen. Ich wette, sie verstecken sich irgendwo in dem Laster. Was schlagen Sie vor? Sollen wir den Lastwagen durchsuchen, bevor er das Lager verlässt?", fragte der Kapitän.

"Nein, das würde eine Menge Aufmerksamkeit der anderen Bewohner auf sich ziehen. Ich möchte nicht, dass sie bemerken, dass jemand auch nur daran gedacht hat, zu fliehen.

Lassen Sie sie das Lager verlassen. Kontaktieren Sie den Fahrer und sagen Sie ihm, er soll den Lastwagen in eines der flachen Grasfelder in der Nähe des Lagers fahren. Wir werden das Gebiet umstellen und sie dort verhaften."

"Ja, Sir." antwortete Kapitän Tu.

Die Kälte, die in den Container eindrang, wiegte Chen und Lin in Sicherheit, dass sie sich im Lkw befanden. Bald darauf setzte sich dieser in Bewegung. *Es hatte geklappt. Wir sind auf dem Weg nach draußen,* dachte Chen. Nach einiger Zeit hatten sie das Gefühl, dass sie sich auf der Hauptstraße befinden mussten, da es viel weniger rumpelte und ab und zu Autos an ihnen vorbeifuhren und hupten. Chen schaute auf seine Uhr. Es waren fast dreißig Minuten, die sie unterwegs waren. Er öffnete langsam den Deckel des Containers und kletterte heraus. Außer den anderen vier Containern befand sich nichts im Lkw. Er öffnete den Deckel des Containers, in dem Lin war, und half ihr heraus. Sie schien erschöpft zu sein. Aber sobald sie Chens Gesicht erblickte, lächelte sie. Inzwischen war die Hälfte des Plans ohne Probleme über die Bühne gegangen. Jetzt mussten sie nur noch warten, bis der LKW irgendwo anhielt, damit sie aussteigen konnten.

Der Lkw bewegte sich weitere zehn Minuten. Dann bemerkten sie, dass der Wagen auf eine Landstraße mit vielen Bodenwellen abbog. Sie wurden kräftig durchgeschüttelt. Ein paar Minuten später hielt der Lkw an. Chen benutzte einige Werkzeuge, die er eingesteckt hatte, um das hintere Fach des Lasters zu öffnen. Einen Moment später klickte die Tür auf. Chen schob sie langsam auf. Durch den schmalen Spalt, der sich zwischen den beiden Seiten der Tür auftat, konnte er sehen, dass sie sich auf einem mit Gras bewachsenen Hügel befanden. Das Ende des Grasfeldes war nicht zu sehen. Er und Lin stiegen langsam und schweigend aus dem Wagen aus. Sie liefen ein paar Schritte, als sie das Geräusch eines Hubschraubers über sich hörten. Kapitän Tu und General Xiong saßen im Hubschrauber. Kapitän Tu warnte sie laut und deutlich.

"Sie sind von unseren Spezialkräften umzingelt. Es gibt keinen Weg für Sie zu entkommen. Ergeben Sie sich sofort."

Sobald die Stimme verstummte, sahen sie, wie sich Körper im Gras bewegten und auf sie zukamen. Es waren Militärkräfte, die ihre Gewehre auf sie richteten.

Chen schaute zu Lin. Sie war verängstigt. Wenn er die Vordertür des LKWs erreichen konnte, hatte er eine gute Chance, ans Steuer des Lkws zu gelangen, bevor sich die Soldaten genähert hatten.

"Ich renne zur Wagentür. Sobald ich anfange zu laufen, lässt du dich auf den Boden fallen und krabbelst zu mir. Okay?" flüsterte Chen.

"Nein, es ist zu gefährlich, sie werden schießen."

"Wir haben keine andere Chance", sagte Chen und lief auf die Tür des Lkws zu.

Sobald er sich bewegte, begannen sie zu schießen. Lin fiel und kroch nach vorne. Plötzlich hörten die Schüsse auf. Lin schaute sich um und fand Chen neben dem Lastwagen auf dem Boden liegend. Sie kroch auf ihn zu.

"Ergeben Sie sich und retten Sie Ihr Leben. Dies ist eindeutig die letzte Warnung." Die Stimme kam vom Helikopter.

Lin erreichte Chens Körper, der am Boden lag. Er bewegte sich nicht, war aber am Leben und blutete aus Brust und Bein.

“Chen, Chen. Kannst du mich hören? Öffne deine Augen”, rief Lin. Er öffnete seine Augen und sah sie an.

“Sie haben es gewusst. Es war mein Fehler. Ergib dich Lin, rette dein Leben.” Plötzlich hustete er eine Menge Blut. Er konnte nicht mehr atmen.

“Nein, nein! Du hast versprochen, mich nicht allein zu lassen”, jammerte Lin. Chens Augen waren geschlossen. Er bewegte sich nicht. Lin schaute sich um. Die Soldaten kamen näher und näher.

Sie küsste Chens Stirn. Ohne ihn konnte sie das Lager nicht ertragen. Sie schaute sich wieder um. Das Nächste, hinter dem sie sich verstecken konnte, war eine Allee aus Büschen auf der entgegengesetzten Seite von der aus die Soldaten anrückten. Sie konnte auf die Büsche zulaufen und so den Lastwagen zwischen sich und die Soldaten bringen. Das war ihre einzige Chance. Sie stand auf und begann zu rennen.

Kapitän Tu und General Xiong konnten sie vom Hubschrauber aus in Richtung der Büsche spurten sehen. “Wie lautet der Befehl, General?” Ein Scharfschütze saß ihnen im Hubschrauber gegenüber. Er hatte Lin im Visier. General Xiong schwieg.

“Wenn sie ins Gebüsch geht, wird es viel schwieriger sein, sie zu finden. Wir haben keine Zeit”, wiederholte Kapitän Tu.

Lin kam immer näher an die Büsche heran. Sie rannte mit all ihrer Kraft.

General Xiong schwieg. Kapitän Tu verfolgte Lin am Boden. Sie sah aus wie ein Punkt, der sich schnell bewegte. “Wir können es nicht riskieren. Das ist jetzt der einfachste Weg, es zu beenden”, beharrte er.

Vom General kam nichts als Schweigen. Kapitän Tu warft dem Scharfschützen einen Blick zu und nickte.

Es war nur ein Schuss. Mitten in die Brust. Sie fiel auf das Gras. Ganz nah an den Büschen.

# 15

Mit dem Ansteigen des Hubschraubers in die Höhe wurde Lins Körper immer kleiner und kleiner. General Xiong betrachtete ihren Körper, bis der Hubschrauber abdrehte.

Kapitän Tu sah den General an. Er schwieg, sein Blick war leer. "Das Mädchen hat das Virus überlebt, nicht aber ihre eigene Dummheit", sagte der Kapitän.

Mit Abscheu in den Augen sah General Xiong ihn an. "Das arme Mädchen, sie hatte ihr ganzes Leben noch vor sich. Ein paar Jahre davon vielleicht sogar außerhalb des Lager-s.Sie war erst sechzehn; selbst in zehn Jahren wäre sie noch jung genug gewesen, und hätte ein erfülltes Leben vor sich gehabt", sagte er.

An diesem Abend blieb General Xiong bis spät in die Nacht in seinem Büro. Seit dem Morgen, nachdem sie von der Mission zurückgekehrt waren, hatte er mit niemandem mehr gesprochen. Er schaffte es nicht, nach Hause zu gehen und in die Augen seiner Tochter zu schauen, die etwa im selben Alter war wie das tote Mädchen. Es war reiner Zufall, dass seine Tochter nicht zu den Bewohnern des Lagers gehörte. Jedes Mal, wenn er sich seine Tochter unter diesen Umständen vorstellte, empfand er eine tiefe Scham und einen großen Schmerz. So stellte er sich seine letzten Dienstjahre nicht vor.

Er sah sich im Büro um. An den Wänden hingen viele Fotos, die zeigten wie er immer wieder mit diversen Medaillen ausgezeichnet worden war. In seinem Militärleben, vom einfachen Soldaten bis zum General, hatte sich in der Zwischenzeit zwar viel verändert. Nur der Glaube, dass er immer für sein Vaterland gekämpft hatte, hatte ihn immer getragen. Heute aber hatte er ein junges Mädchen nur für das Verbrechen der Ungeduld getötet. Nur weil sie ein normales Leben führen wollte, wie alle anderen Mädchen in ihrem Alter auch. Niemand gab ihm die Garantie, dass er nicht morgen wieder jemanden töten musste. Zum ersten Mal in seinem Leben konnte er keine Befehle mehr ausführen. Er konnte nicht zulassen, dass unschuldige Menschen von ihren Familien getrennt wurden. Er konnte nicht mitansehen, wie andere Familien so verzweifelt leiden mussten, dass sie um ihren Tod flehten. All das zum Schutz und im Namen des Vaterlandes. Diese Mission hatte seine sämtlichen Überzeugungen und Werte in Frage gestellt. Wenn der Schutz des Vaterlandes bedeutete, unschuldige Menschen zu foltern und zu töten, dann war es das nicht wert. Dafür war er nicht angetreten. Das Vaterland hatte ohne die Menschen keine Bedeutung.

Zum ersten Mal in seiner langen Zeit beim Militär erwog er, mitten in der Mission auszusteigen. Wenn er aufhörte, seinen Befehlen zu gehorchen, würde er für immer als Feigling dastehen. Er würde geächtet und bestraft werden. Er würde für den Rest seines Lebens Schande über seine Familie bringen.

General Xiong lief die ganze Nacht in seinem Büro auf und ab und überlegte, wie er den Lagerbewohnern helfen konnte. Zuerst erwog er, einen Brief an seine Kommandanten zu schreiben, obwohl er sich ziemlich sicher war, dass sie seine Vorschläge nicht akzeptieren würden. Sie waren diejenigen gewesen, die dieser Mission überhaupt erst zugestimmt hatten. Sie würden ihn als Weichei bezeichnen. Als Nächstes dachte er daran, einen öffentlichen Brief an einen Journalisten zu verfassen. Aber militärische Geheimnisse zu verraten, war für ihn eine Todsünde. Selbst in dieser Ausnahmesituation war er sich nicht sicher, ob er zu so etwas in der Lage war. Außerdem könnte sein Brief Panik und Unruhe in der Bevölkerung auslösen. Das könnte zusätzliche Menschenleben kosten. Er fand einfach keinen Ausweg. Er konnte weder seine jetzige Rolle akzeptieren und den Rest seines Lebens in Scham und Reue leben. Er konnte aber auch nicht dagegen protestieren und alle Konsequenzen auf sich nehmen. Beide Wege waren zu schmerzhaft.

Am Ende der Nacht fiel fahles Licht durch die Fenster. Es war Morgen geworden. Der General unternahm einen Spaziergang. Er überquerte eine Brücke, die über die Hauptstraße nahe ihres Komplexes führte. Er war müde. Sein ganzes Leben hatte er für dieses Land gekämpft. Jetzt war ihm klar, dass alles eine große Lüge war. All das Leid, der Schmerz und die Wunden, die er erlebt hatte, basierten nur auf Unwahrheiten. All die Jahre war er gar nicht ausgebildet und eingesetzt worden, um das Leben von Zivilisten zu schützen. Er war lediglich dazu da gewesen, Befehle zu befolgen; blind und ohne zu hinterfragen. Sein Magen rebellierte und er fühlte sich krank. Er starrte von der Brücke hinunter. Für den Rest der Bevölkerung verlief das Leben normal. Gedankenlos lebten die Menschen vor sich hin. Er wünschte, er könnte das auch, könnte einfach so tun, als ob das Leben für die Bewohner des Lagers fair und normal abliefe. Aber er war für ihren Tod und ihr Leiden verantwortlich. Er hätte am ersten Tag Einspruch erheben können. Er hätte sich dafür einsetzen können, dass die Bewohner wenigstens mit ihren Familien hätten sprechen können. Er hätte es ablehnen können, dass eine so schreckliche Mission überhaupt durchgeführt wurde. Aber er hatte es nicht getan. In allen verschiedenen Stadien hatte er mitgespielt. Die ganze Zeit über hatte er sich selbst belogen und sich vorgemacht dass er das Richtige tat. Dass er den Rest der Bevölkerung beschützte und dass für ihn das Leben eines jeden Bürgers den gleichen Wert hatte. Die sechzehnjährige Lin hatte das gleiche Recht zu leben wie seine eigene Teenager-Tochter. Nach diesem Vorfall hatte er jedoch einsehen müssen, dass er ein Lügner und ein Feigling war. Es war ganz einfach. Wenn er die Augen davor verschloss, dass unschuldige Menschen getötet wurden, egal aus welchem Grund, bewies er, wie gewissenlos er selbst war.

Was war wertvoller als das Leben eines Menschen? Nein, so konnte er nicht weitermachen. Er konnte nicht beobachten, wie die Bewohner auf den Tag hin lebten, an dem sie Symptome entwickeln würden. Er konnte nicht weiter zusehen, wie sie auf ihren Tod warteten, eingesperrt im Lager, ohne jede Möglichkeit zu entkommen.

Er kletterte auf den Rand der Brücke. Sein ganzes Leben hatte er gekämpft, um zu beweisen, dass er mutig war und seine integren Werte lebte. Aber er hatte diesen Kampf kläglich verloren. Er war am Ende, hatte genug vom Kampf. Er ließ die Hand los.

Es war eine Woche, nachdem Lin das Lager verlassen hatte. Fen spürte täglich ihre Abwesenheit. Lin war in den letzten Monaten das warme und strahlende Licht in Fens Leben gewesen. Ihre Seele war noch so jung, um das Elend ihres täglichen Lebens wirklich zuzulassen. Sie hatte immer einen Spruch auf den Lippen, das ein Lächeln in Fens Gesicht gezaubert hatte. Fen zeigte Doktor Zhang den Brief von Lin noch am selben Tag, an dem sie ihn gefunden hatte. Gemeinsam beschlossen sie, ihn nicht zu melden.

Mit jedem Tag, der ohne Nachricht von Lin verging, machte sich Fen größere Sorgen um ihre junge Mitbewohnerin. Es schien klar, dass sie nicht einfach verhaftet worden waren; sonst hätten sie schon längst zurück sein müssen. Fen bat Doktor Zhang, die Direktleitung zu wählen und den General nach Lin und Chen zu fragen.

“Bitte, Doktor, das ist der einzige Weg, wie wir Informationen über sie erhalten können. Inzwischen wissen die doch über ihre Abwesenheit Bescheid. Die wissen, wo die beiden sind. Bitte fragen Sie.”

“Sie kennen die, Fen. Die wollen, dass wir so wenig wie möglich von draußen erfahren. Sie haben ihre Flucht im Lager nicht einmal mitgeteilt. Sie tun so, als ob nichts passiert sei. Jeder im Lager denkt, sie hätten Symptome entwickelt und wären inzwischen tot. In den Köpfen der Bewohner gibt es keinen Weg aus dem Lager mehr, außer durch den Tod. Nur Sie und ich wissen, dass die beiden geflohen sind. Ich bin sicher, die wollen nicht, dass wir mehr darüber wissen sollten. Was glauben Sie, wie die auf meine Frage reagieren werden?", antwortete ihr Doktor Zhang.

"Ich weiß es nicht. Wenn sie uns nur ein bisschen was erzählen, würde mir das schon reichen. Ich will nur wissen, ob es ihr gut geht. Bitte, Doktor, bitte tun Sie das für mich", antwortete Fen.

"Okay, mach ich."

An diesem Nachmittag, nachdem Doktor Zhang seine täglichen Pflichten erledigt hatte, nahm er den Anruf in Angriff. Es klingelte nur wenige Male, da nahm jemand den Hörer ab.

"Hallo, hier spricht Doktor Zhang. Kann ich mit General Xiong sprechen? Es gibt eine wichtige Angelegenheit, über die ich ihn informieren möchte", sagte er.

"Der General ist nicht da, aber ich kann Sie mit Kapitän Tu verbinden", sagte der Mann am anderen Ende des Gesprächs mit fester Stimme. Einige Minuten später meldete sich die vertraute Stimme des Kapitäns. Jedes Mal, wenn Doktor Zhang die Stimme dieses Mannes vernahm, wurde er an den allerersten Tag hier im Lager erinnert. Dies war die Stimme, die immer weitere Regeln und Vorschriften ankündigte, die im Lager zu befolgen waren. Er bekam sofort eine Gänsehaut.

"Hallo, Doktor Zhang. Hier ist Kapitän Tu. Was ist los?"

"Ich würde gerne mit General Xiong sprechen. Er sagte mir, ich könne ihn in Notfällen kontaktieren."

Kapitän Tu schwieg eine Weile, dann fuhr er fort. “General Xiong hat das Kommando nicht mehr inne. Sie werden von nun an mir Bericht erstatten”, sagte er.

Doktor Zhang wollte fragen, was passiert sei, wusste aber, dass er keine Antwort erhalten würde.

“Es gibt zwei Bewohner des Lagers, die seit letzter Woche vermisst werden. Sie stehen nicht auf der Liste der Todesfälle. Haben Sie Informationen darüber? Werden sie zurück ins Lager kommen?”

“Nun, zunächst einmal ist es zu spät, eine so wichtige Angelegenheit zu melden. Das nächste Mal sind Sie verpflichtet, mir Vorfälle dieser Art so schnell wie möglich mitzuteilen. Zweitens, die beiden vermissten Bewohner werden nicht mehr ins Lager zurückkehren. Sie können sie zu den Toten rechnen”, sagte Kapitän Tu in ruhigem Tonfall. Es lag kein Zögern in seiner Stimme.

Doktor Zhang schwieg einen Moment. Dann fragte er mit zitternder und leiser Stimme. “Was soll das bedeuten? Wurden sie verhaftet? Sind sie tot?”

“Das geht Sie nichts mehr an. Bitte benutzen Sie diese Nummer weiterhin für weitere dringende Vorfälle. Schönen Tag noch.” Der Kapitän legte auf.

~

Als Fen mit dem Rest ihrer Arbeit fertig war, ging sie sofort in das Büro des Doktors. Die Tür war verschlossen. Hinter der Tür vernahm man kein Geräusch. Fen klopfte an die Tür.

“Wer ist da?” Es war die Stimme von Doktor Zhang.

“Ich bin es, Fen.”

“Herein.”

Fen betrat den Raum. Doktor Zhang saß hinter seinem kleinen Schreibtisch und schaute nach unten auf seine Fußspitzen. Er begann zu reden, ohne Fen anzusehen. “Sie kommen nicht mehr zurück. Es tut mir leid, aber die beiden sind wahrscheinlich bereits tot”, flüsterte er.

Es herrschte ein paar Sekunden lang Stille. Er schaute zu Fen auf. Ihre Lippen zitterten, Tränen traten ihr in die Augen.

“Haben die sie getötet?” fragte Fen.

Doktor Zhang antwortete ihr nicht.

“Haben diese Bastarde sie getötet?” Jetzt schrie sie auf.

Er stand auf und ging auf sie zu. Legte seine Hand auf ihre Schulter.

“Beruhigen Sie sich, meine Liebe. Ich weiß es nicht. Sie haben es mir nicht gesagt. Aber ich bin mir sicher. Sie können kein zweites Lager haben. Wenn sie noch am Leben wären, würden sie es nicht riskieren, sie irgendwo anders unterzubringen”, antwortete er.

“Nein, nein, nein! Sie waren doch jung, so jung! Voller Leben!” Fen weinte sich an der Schulter des Doktors aus.

# 16

Drei Jahre später ging eine junge Frau in einer kleinen Stadt im Norden Chinas spazieren. In ihrer Begleitung waren ein fünfjähriger Junge und ein siebenjähriges Mädchen. Der kleine Junge war äußerst temperamentvoll. Er lief stets vorneweg und beobachtete Straßen, Autos, Menschen und Geschäfte. Alle paar Meter lief er zu der Frau zurück und stellte Fragen. "Mami, was ist das? Warum trägt dieser Mann das? Ist das ein Auto? Warum ist es so klein?" Die Frau beantwortete geduldig seine Fragen.

"Das ist ein anderes Auto. Manche sind größer, manche sind kleiner. Aber sie funktionieren alle sehr ähnlich. Wenn man älter wird, darf man sie alle fahren", erklärt die Frau.

Das ältere Mädchen war eher still. Anders als der Junge schien sie nicht sehr froh oder neugierig auf das zu sein, was um sie herum geschah. Sie schien eher zu schmollen und genoss den Spaziergang überhaupt nicht. Schließlich, als der Junge für einen Moment aufhörte, Fragen zu stellen, schaute das Mädchen die Frau an und fragte: "Warum können wir nicht alle zurück in unser Gebäude wie vorher auch? Ich mag unser neues Haus nicht. Ich kann meine Freunde nicht mehr jeden Tag sehen und mit ihnen spielen. Dort hatte ich so viele Freunde. Seit Tagen habe ich schon keinen mehr von ihnen gesehen."

"Meine Süße, ich habe es dir sich erklärt. Unser Zimmer in dem Gebäude war unser vorübergehendes Zuhause. Jetzt haben wir ein komplettes Haus ganz für uns allein. Wir können hingehen, wohin wir wollen, und alles essen, was uns schmeckt. Bald wirst du neue Freunde in der Schule finden. An manchen Tagen, so wie heute, werden wir auch deine alten Freunde besuchen. Du kannst mit ihnen spielen, so viel du willst." Die Frau sprach freundlich mit dem Mädchen und versuchte, es davon zu überzeugen, dass ihre neue Situation eine glückliche war. Aber das Mädchen war in den letzten Tagen ziemlich mürrisch gewesen. Zum ersten Mal musste sie irgendwo außerhalb des Lagers leben, weit weg von ihren Freunden. Die Frau konnte sie gut verstehen. Schließlich war das Lager der einzige Ort, an den sie sich erinnern konnte. Und ihre dort lebenden Freunde, waren die einzigen mit denen sie je gespielt hatte. Sie war nie in einen normalen Kindergarten oder in eine Schule gegangen. Sie war es nicht gewohnt, dass Kinder eigentlich mit ihren Eltern in einem eigenen Haus lebten und dass Häuser weit voneinander entfernt sein können. Sie war es gewohnt, alle ihre Freunde überall im selben Gebäude zu finden und die ganze Zeit mit ihnen spielen zu können. Es war fast so, als würde sie die ganze Zeit in einem Kindergarten leben, ohne dass ein Ende des Spiels in Sicht war. *Armes Kind, es wird Jahre dauern, bis du verstehst, dass das kein normales Leben war und was für ein verfluchter Ort das war,* dachte die Frau.

Während die Frau darüber nachdachte, lenkte der kleine Junge sie mit einer weiteren Frage ab. “Mami, was isst der denn da?” Der Junge deutete auf ein Kleinkind, das mit seinen Eltern von der gegenüberliegenden Seite kam und ein Eis schleckte.

Die Frau lächelte. “Etwas Süßes und sehr Leckeres. Magst du es probieren?”

Er nickte. Seine Augen funkelten. Die Frau fragte das Mädchen: “Willst du auch eins probieren?” Das Gesicht des Mädchens entspannte sich für eine Zehntelsekunde, bevor sie sich wieder fing. Sie wollte weiterhin zum Ausdruck bringen, dass sie von dieser neuen Verlockung nicht so leicht überzeugt werden konnte, also antwortete sie: “Ich werde es probieren, aber es kann nicht leckerer als eine Banane sein.” Während ihrer Isolation im Lager hatte das Mädchen nie etwas Süßeres als eine Banane zu essen bekommen.

Die Frau lächelte in sich hinein. In den letzten drei Jahren war das Mädchen groß geworden; sie war kein Kleinkind mehr. Sie war jetzt in der Lage, ihre Gefühle zu verbergen. “Okay, lass uns einen Versuch starten. Wenn wir es gekostet haben, werde ich dich erneut fragen, was von beiden köstlicher ist”, sagte die Frau.

Sie fanden die Eisdiele einen Block weiter in derselben Straße. Die Frau kaufte dem Jungen eine Kugel Schokoladeneis, während das Mädchen Banane verlangte. Als sich ihre Münder dem Eis näherten, warnte die Frau: “Es ist kalt, seid vorsichtig.” Die Warnung hielt die beiden jedoch nicht davon ab, gleich einen großen Bissen zu nehmen. Geschockt, wie kalt sich das anfühlte, rissen sie die Augen auf. Der kleine Junge, der ein großes Stück im Mund hatte, sprang sofort auf und spuckte es aus. Instinktiv sog er warme Luft in seinen Mund, um es dort wieder wärmer werden zu lassen. Das Mädchen legte die Hände auf den Mund und versuchte, die Kälte zu ertragen und es zu schlucken. Als ihr Mund leer war, brummte sie. "Es ist gaaanz kalt!"

Die Frau lachte laut auf. "Ich sagte doch, dass es kalt ist", sagte sie während sie herzlich lachen musste. Nach ein paar Minuten war der erste Schock vorbei, und beide nahmen den süßen Geschmack des cremigen Eis wahr. Der kleine Junge fand sehr schnell heraus, dass, wenn er das Eis ableckte, es weniger kalt war und man es besser genießen konnte. Die folgenden zehn Minuten, schleckten sie ohne einen Ton ihr Eis. Der kleine Junge stellte keine Fragen mehr, und das Mädchen beschwerte sich nicht mit einer Silbe. Sie waren beschäftigt und schienen glücklich mit ihrer Neuentdeckung.

Das Ziel der Frau war ein kleines, recht gewöhnliches Haus. Nichts unterschied das Gebäude von den vielen anderen in dieser Straße. In der Tat waren alle Häuser einander ähnlich. Es war offensichtlich, dass sie alle zur gleichen Zeit und in der gleichen Form gebaut worden waren. Alle waren zweistöckig, weiß mit einer hölzernen Fassade und einem kleinen Garten davor. Die Straße war sehr ruhig. Im Gegensatz zu den meisten Orten liefen nur wenige Menschen den Bürgersteig entlang. Von Zeit zu Zeit fuhr ein Auto vorbei. Die Frau suchte die Häuser nach der Nummer vierundzwanzig ab. Schließlich fand sie es fast am Ende der Straße. Sie schaute sich das Haus an. Nichts deutete darauf hin, dass dort jemand wohnte. Die Fenster waren geschlossen, und ein weißer Vorhang verdeckte den Blick nach innen. Die Pflanzen im Garten vor dem Haus waren beinahe abgestorben. Die Frau rief dem kleinen Jungen zu, der vor ihnen herging. “Hier, hier sollte es sein.” Sie öffnete das kleine Tor vor dem Haus und betrat den Garten. Ein paar Schritte weiter und sie standen direkt an der Eingangstür. Sie wartete eine Sekunde, holte tief Luft und läutete dann. Kaum hatte es geklingelt, hörte sie Kinder zur Tür rennen und rufen: “Sie sind da.” Und die vertraute Stimme eines Mannes: “Ich gehe schon.”

Der Mann öffnete die Tür. “Hallo, Fen. Entschuldigen Sie, bitte. Ich freue mich so, Sie wiederzusehen. Endlich haben sie Ihnen die Erlaubnis gegeben, uns zu besuchen.” Er umarmte die Frau.

“Hallo, Doktor Zhan. Ich freue mich sehr, Sie wiederzusehen. Sie haben mir gesagt, dass dies die einzige Ausnahme ist, die sie in Betracht ziehen werden, anscheinend wegen unseres Einsatzes und der Zusammenarbeit im Lager. Sie betonten nochmals, keine zwei Familien dürften außerhalb des Lagers eine Beziehung haben.”

Hinter dem Arzt steckte ein kleines Mädchen den Kopf heraus, um zu sehen, wer an der Tür war. Sobald sie Feng und die beiden Kinder sah, sprang sie auf und schrie ins Innere des Hauses: “Lee, komm nach unten, Fai und Mei sind hier.” Dann rannte sie auf die Kinder zu und umarmte sie herzlich. Die drei Kinder waren in der nächsten Sekunde im Haus verschwunden. Feng konnte hören, wie ihre Tochter sagte: “Wir haben auf dem Weg hierher etwas Kaltes und Süßes gegessen. Es war köstlich.”

Doktor Zhan und Feng sahen den Kinder nach und lächelten. “Kommen Sie rein, meine Frau wartet auf Sie.”

Feng betrat das Haus. Die Wände waren noch kahl und leer. Es war offensichtlich, dass sie erst kürzlich eingezogen waren. Doktor Zhan nahm Feng den Mantel ab und führte sie in ein größeres Zimmer am Ende des Korridors. Feng setzte sich auf das einzige Möbelstück, das sich im Raum befand, ein großes altes braunes Sofa. Sie konnte die Kinder oben spielen hören.

"Es ist ein großes Haus. Ich bin sicher, Sie können es sich in ein paar Wochen gemütlich und schön einrichten", sagte Feng und versuchte, das Gespräch in Gang zu bringen.

"Ja, wie geht es Ihnen? Haben Sie sich an Ihrem neuen Ort eingelebt?" fragte Doktor Zhan.

"Nun, nein, nicht ganz. Ich muss mich immer noch daran gewöhnen, frei leben zu können. Neulich war ich so aufgeregt bei dem Gedanken, dass ich kochen und essen kann, was ich möchte, dass ich viel zu viele Lebensmittel im Supermarkt gekauft habe."

Während Feng Doktor Zhan von ihrem ersten Besuch im Supermarkt seit über drei Jahren erzählte, betrat Doktor Zhans Frau den Raum. Sofort umarmte sie Feng. "Oh, wie schön, dich zu sehen, meine liebe Fen. Es ist erst ein paar Tage her, aber mir kommt es vor, als wäre es eine Ewigkeit her, seit ich dich das letzte Mal gesehen habe."

Feng lachte. "Ja, nach drei Jahren, in denen wir uns Tag und Nacht gesehen haben, scheinen ein paar Tage eine Ewigkeit zu sein. Oh, übrigens, ich heiße jetzt Feng", sagte sie.

Die Frau von Doktor Zhan lachte und sagte: "Oh ja, Du hast recht, mein Mann hat es mir gesagt, bevor du kamst, *Feng*. Es ist deinem früheren Namen sehr ähnlich. Das ist clever. So verwechselst du ihn nicht so leicht. Mit uns haben sie das auch gemacht. Sie sagten uns, wir könnten frei sein und das Lager verlassen. Aber wir müssten eine neue Identität annehmen, in diese Stadt ziehen und dürften niemanden aus unserem früheren Leben kontaktieren. Am nächsten Tag kamen sie mit allen Dokumenten, die mit unserem neuen Familiennamen versehen waren. Statt Zhang sind wir jetzt die Familie Zhan."

Feng lachte. "Offenbar hatten sie wenig Fantasie, was die neuen Namen anbelangt. Entweder haben sie ein G hinzugefügt oder eines weggelassen." Sie alle lachten laut.

Während sie lachten, bemerkte Feng das Foto von Doktor Zhans Tochter an der Wand. Ihr Tod hatte den Doktor fast gebrochen. Nachdem er seine Tochter verloren hatte, war er kurz davor gewesen, sein Leben selbst zu beenden. Das kleine Mädchen auf dem Foto lächelte von einem Ohr bis zum anderen. Plötzlich versiegte Fengs Lachen. Ihr Schmerz jener Tage kam zurück. "Wie kommst du mit der neuen Situation und den beiden Kleinen zurecht, die ihr adoptieren konntet?"

Frau Zhan folgte Fengs Blick. Sie drehte ihren Kopf, in Richtung des Fotos. "Ehrlich gesagt, wenn die Kinder nicht bei uns wären, weiß ich nicht, wie ich das Leben außerhalb des Lagers ohne meine Tochter ertragen könnte. Es ist seltsam, das zu sagen, aber ich bin dankbar, dass sie uns die Waisenkinder überlassen haben und wir sie adoptieren konnten. Nachdem sie uns gezwungen haben, unsere Namen zu ändern und uns daran gehindert haben, unsere Familien und Freunde von früher zu kontaktieren, kannten wir niemanden mehr außerhalb des Lagers. Niemand und nichts in dieser Stadt ist uns vertraut. Ich habe das Gefühl, ein zweites Leben zu führen, ein völlig neues. Wir müssen alles von vorne beginnen: ein Krankenhaus für meinen Mann finden, Schulen für die Kinder und vor allem neue Freunde."

"Ich weiß. Mir geht es genauso. Besonders schwierig ist für mich, dass wir nichts über unsere Vergangenheit sagen dürfen. Sie gaben mir eine Hintergrundgeschichte, die ich erzählen musste, um eine neue Identität, einen neuen Pass und neue Ausbildungsdokumente zu bekommen. Ich muss die ganze Zeit lügen: wo ich geboren wurde, wo ich zur Schule gegangen bin, wo ich gearbeitet habe. Es ist alles sehr seltsam", sagte Fen.

Doktor Zhan stand am Fenster und blickte auf die Straße. Er schaute zu den beiden Frauen und sagte: "Das Schlimmste ist, dass wir unsere Geschichte nie der Öffentlichkeit erzählen können. Während der letzten drei Jahre sind mindestens zweitausend Menschen in diesem Lager gestorben. Nicht einer von ihnen hat ein Grab. Sie haben die Asche einfach begraben. Sie haben keine Spuren hinterlassen. Es ist, als ob sie nie gelebt hätten." Doktor Zhan schaute auf das Foto seiner Tochter an der Wand. In seinen Augen konnte Feng seinen Schmerz und seine Trauer sehen. Aber auch etwas anderes, etwas, das sie nicht klar greifen konnte. Es war eine Mischung aus Wut und Rachsucht. Er war der friedlichste Mensch, den sie kannte. Im Gegensatz zu vielen anderen Bewohnern des Lagers hatte Feng Doktor Zhan während dieser dunklen Zeit nie wütend erlebt. Er hatte immer versucht, das Leben für sich selbst und alle anderen leichter zu gestalten.

"Wir werden nie erfahren, wo dieses Lager war. Das wäre der größte Beweis. Wir wissen nicht einmal, in welcher Region es war." fuhr Doktor Zhan fort.

Feng war ein wenig verwirrt. Er klang seltsam; warum machte er sich Gedanken über diese scheinbaren Fakten? Natürlich hatten sie ihnen nie gesagt, wo sich das Lager befand. Sie fuhr fort: "Warum ist das überhaupt wichtig? Ich bin froh, dass sie uns endlich freigelassen haben. Ich hätte nie gedacht, dass sie das tun würden, selbst als sie das Heilmittel und den Impfstoff gefunden hatten. Ich hätte nie gedacht, dass sie es riskieren und uns freilassen würden. Ich wünschte, Lin und Chen hätten mehr Geduld gehabt. Von dem Moment an, als sie uns sagten, dass wir frei sein würden, habe ich die ganze Zeit an sie gedacht. Sie waren so jung und hatten ihr ganzes Leben noch vor sich. Ich bedaure, dass ich nicht geahnt habe, was sie vorhatten. Wenn ich Lin näher gestanden hätte, wenn sie mir mehr hätte vertrauen können, hätte sie mir vielleicht von ihrem Fluchtplan erzählt", sagte Feng.

Die Frau von Doktor Zhan umarmte sie. "Das war nicht deine Schuld, und das weißt du auch. Quäl dich also nicht mit diesen Gedanken. Wir alle müssen dankbar sein, dass wir diese Hölle überlebt haben."

Feng wischte sich die Tränen ab. "Ich bin dankbar. Ich ziehe jetzt zwei Kinder auf, der einzige Grund, dieses Leben weiterzuführen. Sie haben im Lager großen Schaden erfahren. Sie sind weit hinter den anderen Kindern in ihrem Alter zurück. Sie kennen viele Dinge nicht oder haben vieles nicht gesehen, was für andere Kinder völlig normal ist. Zum Glück haben sie das Camp nicht so schrecklich in Erinnerung, wie es in Wirklichkeit war. Wenn ich ihnen ein normales Leben ermöglichen kann, wäre das für mich schon genug."

Feng und ihre Kinder blieben den Rest des Tages bei der Familie von Doktor Zhan. Die Kinder spielten mit den Kindern des Doktors, und Feng unterhielt sich mit Doktor Zhan und seiner Frau.

Es war spät am Nachmittag, als Feng sich bereit machte, das Haus des Doktors zu verlassen. "Ich danke Ihnen sehr für alles. Ich bin nicht sicher, ob und wann ich Sie wieder besuchen kann. Aber ich werde mich immer an deine Freundlichkeit erinnern." Feng umarmte die Frau des Doktors ganz fest und herzlich. Die Kinder wollten nicht gehen, nörgelten und beschwerten sich heftig. Die Mädchen tauschten ihre Spielsachen aus. Sie hatten vor, sie einander zurückzugeben, wenn sie sich das nächste Mal treffen würden. Keiner von ihnen wusste jedoch, wann das geschehen konnte.

Als Feng Doktor Zhan zum Abschied umarmte, schob er ihr ein Papier in die Tasche. Feng bemerkte es und sah den Doktor an. Doktor Zhan reagierte normal. "Viel Glück, Feng. Ich bin sicher, dass Sie zu gegebener Zeit eine Menge zu lesen haben werden." Und dann schenkte er ihr ein vages Lächeln.

Feng las den Brief nicht sofort. Sie nahm ihn nicht einmal aus ihrer Tasche. Sie ahnte, dass in ihrem Haus Kameras versteckt sein könnten. Tage später, als sie ihre Tochter zum ersten Mal zur Schulanmeldung brachte, trug sie denselben Mantel. Auf dem Weg zur Schule griff sie ein paar Mal in die Tasche, um zu sehen, ob der Brief noch vorhanden war. Als sie mit der Anmeldung ihrer Tochter fertig war, fragte sie, ob sie die Schultoilette benutzen könne. Dort konnte sie sich fast sicher sein, dass es keine Kamera gab. Nachdem sie in die Kabine getreten war, holte sie den Brief hervor und spülte die Toilette, um das Kruscheln des Papiers zu überdecken, während sie ihn öffnete. Sie erkannte die Handschrift von Doktor Zhang.

*Liebe Fen,*

*von dem Augenblick an, als wir aus dem Lager frei kamen, wird mich ein Wort nicht mehr loslassen: "Gerechtigkeit". Wir können nicht zulassen, dass das, was uns passiert ist, in Vergessenheit gerät. Das wäre niemandem gegenüber fair, den Toten nicht, aber auch den Überlebenden nicht. Nicht den vielen Menschen, die in diesem Lager gestorben sind, den Menschen, die dem Druck in diesem Lager nicht standhalten konnten und nun mit ihrer geschädigten psychischen Gesundheit zurechtkommen müssen. Es wäre aber auch unseren Kindern, der nächsten Generation und auch der Öffentlichkeit gegenüber nicht gerecht. Wir wissen beide, dass das Lager immer noch existiert. Vielleicht gibt es sogar mehrere Lager dieser Art im Land, die auf eine andere Gruppe von Menschen warten, die aus einem anderen Grund festgehalten werden. Sei es wegen der nächsten Pandemie oder der nächsten geheimen Mission, die sie vor der Bevölkerung verbergen wollen. Ich glaube, viele der Menschen, die in das Lager gebracht wurden, hätten gesund bleiben können, wären sie nicht mit dem Rest der Patienten im Lager eingesperrt worden. Wer auch immer sich für diese Mission entschieden hat, wollte kein Risiko eingehen. Also opferten sie viele gesunde Menschen, nur weil sie kurz mit der ersten Patientenwelle in Berührung gekommen waren.*

*Während der letzten drei Jahre habe ich die Namen und Adressen von vielen Menschen gesammelt, die im Lager gestorben sind. Ich habe jedes Detail, das ich über das Lager und die Umgebung finden konnte, aufgeschrieben. Es ist mir gelungen, diese Informationen mit aus dem Lager zu nehmen. Was den Ort des Lagers betrifft, bin ich mir sicher, dass es mir gelingen wird, herauszufin-*

*den, wo genau es war. Am ersten Tag, als sie uns zum Lager brachten, hatte ich noch meine Uhr. Die Fahrt mit dem Bus von Peking aus konnte demnach nicht länger als zehn Stunden gedauert haben. Ich schreibe immer noch auf und sammle alles, woran ich mich erinnern kann. Es entstehen Dokumente, die ich aufbewahren werde. In ein paar Jahren, wenn sie uns nicht mehr so sensibel im Auge haben, werde ich sie an einen Journalisten weitergeben. Bis dahin möchte ich Sie bitten, das Gleiche zu tun. Versuchen Sie, sich zu erinnern und sammeln Sie alle Informationen, die Sie über Personen, Orte, Soldaten haben. Einfach alles, was mit dem Lager zu tun hat. Wenn Sie sich trauen, schreiben Sie es auf. Wenn nicht, erinnern Sie sich einfach und spielen es wieder und wieder in Ihrem Kopf durch, so gut Sie können. Sobald ich kann, werde ich Sie unter einem falschen Namen kontaktieren und die Informationen bei Ihnen abholen.*

*Tun Sie dies für Lin und Chen, für meine Tochter und für die vielen anderen, die ihr Leben verloren haben. Tun Sie es für Ihre Kinder, damit sie in einer freieren Gesellschaft leben können.*

*Ich habe mich immer auf Sie verlassen, und bin mir sicher, dass ich das auch dieses Mal tun kann.*

*Wir hoffen, Sie wiederzusehen,*

*Doktor Zhang*

Fen las den Brief zu Ende. Dann warf sie ihn in die Toilette und zog erneut ab. Sie hatte das beste Dokument bereits zu Hause: Lins Tagebuch. Aber das war nicht genug. In den nächsten Monaten kaufte Fen jeden Tag eine Zeitung am Kiosk in der Nähe der Schule ihrer Tochter. Sobald sie zu Hause war, tat sie so, als würde sie sie lesen. Hin und wieder unterstrich sie Buchstaben und Wörter. Dann legte sie die

Zeitung lässig auf den Zeitungsstapel in einem Korb in der Ecke ihrer Küche. Die Wörter in den Zeitungen schienen wahllos unterstrichen zu sein. Nur sie konnte die Geschichten aus dem Lager lesen, die in den Buchstaben der Zeitung durcheinander gewürfelt und vermischt waren. Jeden Tag sammelte sie eine Erinnerung. Eines Tages würde auch sie die Geschichte des Lagers erzählen können.

<<<<>>>>

# DANKSAGUNG

Zuallererst danke ich Ihnen, meiner Leserschaft, die Sie diesem Buch eine Chance gegeben haben. In einer Zeit, in der jeder tausende von Möglichkeiten hat, sich zu unterhalten, ist Ihre Aufmerksamkeit für meinen Debütroman die größte Unterstützung für mich als neue Autorin. Wenn Sie mich darüber hinaus unterstützen möchten, hinterlassen Sie bitte eine Rezension zu diesem Buch, abonnieren Sie meinen Newsletter und folgen Sie mir auf den sozialen Medien (Twitter, Instagram, Facebook) oder schreiben Sie mir einfach eine E-Mail.

Ich habe nie geplant, einen zeitgenössischen/medizinischen Thriller als Debütroman zu schreiben. Ich hatte eher einen Fantasy-Roman geplant und halb angerissen, bevor ich dieses Buch begann. Aber Ende Februar 2020, als die Pandemie gerade Fahrt aufnahm, konnte ich an nichts anderes mehr denken als an den Ausnahmezustand, den wir alle erleben mussten. Als Molekularbiologin beschäftige ich mich seit Jahren mit Krankheitserregern. Diesmal jedoch faszinierte mich dieses Ausmaß an Veränderungen, die ein Virus in unser tägliches Leben brachte, und die Reaktion der Menschen und Regierungen darauf. Also beschloss ich, mein laufendes Fantasy-Projekt zu unterbrechen, um über diese neue Erfahrung zu schreiben. Der allererste Entwurf dieses Buches war eine Sammlung von Kurzgeschichten, die in verschiedenen Teilen der Welt mit parallelen Handlungssträngen spielten. Aber am Ende entschied ich mich, dem einen Handlungsstrang zu folgen, der in meinem Kopf lauter Fragen aufwarf und unbändige Faszination hervorrief. Die Frage nach der Priorität zwischen Freiheit oder Sicherheit, unserer gesellschaftlichen und/oder individuellen Verantwortung, der menschlichen Kraft, sich unerträglichen Situationen anzupassen oder sie abzulehnen. Ich erweiterte diese Geschichte und sie entwickelte sich zu dem Buch, das Sie gelesen haben. Ich hoffe, Sie haben die Lektüre genossen.

Meine besonders tiefe Verbeugung geht natürlich an das medizinische Personal auf der ganzen Welt. Die wahren Helden all unserer Gesellschaften. Diejenigen, die jeden Tag ihr Leben aufs Spiel setzen und ihre eigene Angst vor einem tödlichen Virus überwinden, um sich um die Patienten zu kümmern.

Ich möchte auch meinen Beta-Lesern Nikki, Matt, Maddy ,den Lektoren Keith und Catherine und speziell die Übersetzerin, Eva meinen großen Dank aussprechen, die mir geholfen haben, dieses Buch zu gestalten und zu polieren und es erstrahlen zu lassen.

Aber vor allem danke ich meinem Mann Sascha. Jeden Tag motivierst du mich, unterstützt mich und treibst mich an, die bessere Version meiner selbst zu sein. Ich bin so gesegnet, dich in meinem Leben zu haben.

## ÜBER DEN AUTOR

Mahi Kohansal ist in Teheran, im Iran, geboren und dort aufgewachsen. Sie ist eine ausgebildete Molekularbiologin. Doch bereits als Jugendliche merkte sie, dass ihre Leidenschaft und ihre Faszination im Land der Geschichten liegt. Während sie sich bislang mit dem Schreiben von Kurzgeschichten vergnügte, ist *Pandemic* ihr erster veröffentlichter Roman. Mahi ist darüber hinaus die Schöpferin des *Projekts Photos Talk*, bei dem sie jede Woche eine Kurzgeschichte zu einem selbst aufgenommenen Foto erzählt. Sie lebt mit ihrem Mann in München, Deutschland.

Verbinden Sie sich mit Mahi:
www.mahikohansal.com
twitter.com/mahi_kohansal
instagram.com/mahi.kohansal
https://www.facebook.com/mahi.kohansal

Printed in Poland
by Amazon Fulfillment
Poland Sp. z o.o., Wrocław

83400545R00132